Vanessa Bozzacchi

Chioro 109-110
La sorcière-
rôtie-
autres histoires

La Survie

Suzanne Jacob

La Survie

Nouvelle édition

Préface de
Guy Cloutier

BQ

BIBLIOTHÈQUE QUÉBÉCOISE

Bibliothèque québécoise inc. est une société d'édition administrée conjointement par la Corporation des éditions Fides, les éditions Hurtubise HMH ltée et Leméac éditeur.

Éditeur délégué

Jean Yves Collette

Conseiller littéraire

Aurélien Boivin

DÉPÔT LÉGAL : TROISIÈME TRIMESTRE 1989
BIBLIOTHÈQUE NATIONALE DU QUÉBEC

ISBN : 2-89406-025-4

Préface

Que se passe-t-il quand il ne se passe rien ? Quand le cœur n'est ni à l'amour ni à la nostalgie et que l'on sent son âme s'enliser dans une profonde mélancolie ?

Cela vient le plus souvent à l'improviste, sans raison apparente, comme un malaise qui monte à la gorge et qui oblige à ouvrir la fenêtre afin de chercher son air. On sent alors une rupture entre le monde et soi, comme si on se trouvait soudain en contradiction absolue avec ce qui l'entoure, voire avec ceux qui l'entourent. Une fissure. Une faille. Un hiatus. Une trouée par où le monde se dérobe en nous laissant à la limite du vertige.

« Une petite fille patiente assise toute droite sur la chaise brune aux barreaux usés de la salle à manger (...) n'entend ni les sons que font les choses en retournant prendre leur place, ni le froissement des trois peupliers, ni le chatoiement de l'été sur le gros saule d'en arrière dans lequel elle peut grimper jusqu'à la peur. » Quel drame la secoue ainsi par-delà son immobilité ? Quel désir la saisit au point de pétrifier son corps et son âme ?

Plus tard, ce sera au tour « d'une femme dont le visage n'est ni tendre, ni sévère, ni triste, ni souriant (de sombrer) doucement dans une profonde rêverie » en contemplant son reflet dans le miroir. Un homme viendra la rejoindre... mais sans l'atteindre.

D'autres « ne se (souviendront) de rien, d'aucune de leurs extases innombrables, d'aucune de leurs traversées. De rien, ils ne se (souviendront) de rien par choix. Au centre de leur forêt, ils (seront) des consentants absolus à l'évidence du présent ».

On le voit, ce n'est pas le mal de vivre qui étreint le cœur des personnages de *la Survie*, c'est plutôt l'impossibilité de vivre, comme s'ils n'avaient pas reçu à la naissance le talent de vivre et qu'ils étaient dès lors condamnés à devoir se sentir exclus de toute appartenance à la communauté. Toute leur vie durant, ils n'allaient cesser d'être «l'enfant pris en faute». Ils n'allaient cesser de se sentir en porte-à-faux avec leurs sentiments comme avec ceux des autres. Même les objets usuels autour d'eux viendront leur rappeler qu'ils ont été inscrits d'office « aux abonnés absents ». Au restaurant, ce seront eux qui choisiront la table bancale ; au cinéma, le fauteuil déréglé ; au supermarché, la file la plus lente... Dès l'enfance, ils auront ainsi vécu avec l'impression d'autant plus douloureuse que souvent indicible, que la vie allait toujours leur échapper et qu'ils n'allaient jamais en connaître que la part congrue.

Que ce soit des enfants impuissants devant la douleur de l'autre ou des vieillards oubliés jusque dans leur mort, ou alors ces femmes pour qui l'amour n'aura jamais été une réponse satisfaisante au drame de la vie, les personnages de Suzanne Jacob sont toujours en danger de réel. Chacun joue sa survie à chaque instant. « Il y a une survie. Je m'en doutais. D'autres sont sans doute à la pêche dont nous sommes absents. »

Comment, dans ces conditions, ne pas ressentir un vif sentiment d'inquiétude devant ces êtres à qui il n'arrive que le rien ? Ils ne font rien. C'est dire qu'ils font le mort avec le sentiment de disparaître, vite effacé par le temps qui passe.

Dans cette vie qui ne les concerne pas, ils chercheront refuge ailleurs, dans un monde parallèle, un *no man's land* intérieur qui leur permettra de donner du sens à leur différence. On comprendra alors que leur comportement nous apparaisse souvent insolite, voire d'une grande futilité.

C'est qu'à l'instar de l'enfant qui survit en eux, ils ont peine à suivre les règles de ce que l'on appelle, avec une prétention au demeurant fort suspecte, « l'ordre logique des choses ». Écoutons-les quand ils voudraient tout dire en même temps et qu'ils en viennent alors à tout confondre, l'essentiel et le superflu, avec la même urgence : « C'est beau un pupitre en ordre parce que les yeux sont le miroir de l'âme et parce que ce qui se conçoit bien s'annonce clairement. »

Mieux encore : « Ici de toute façon, c'est un pays de colonisation, alors on ne peut pas se mettre déjà à savoir le nom des arbres et des arbustes et tout et le camion de pompiers est rouge de toute façon comme partout ailleurs c'est international et la terre est plus grande qu'auparavant, quand ma mère est née la terre était beaucoup plus petite parce que les *mass media* n'étaient pas au point où ils en sont d'avoir agrandi la planète à l'échelle mondiale ».

Ces personnages n'ont pas assez des mots pour dire ce qui les travaille ; on éprouve vite le sentiment qu'ils ne parviennent jamais qu'à traduire leur profonde confusion. Et c'est précisément cette confusion qui est porteuse de sens ici : elle vient confirmer l'impropriété du langage à rendre compte de la vulnérabilité des êtres dès lors qu'ils sont sommés par l'urgence de leur vérité intérieure.

En interpellant « l'enfant qui dort en nous », l'écriture de Suzanne Jacob trouve sa véritable efficacité ; elle mine de l'intérieur les règles d'une logique qui prétend régir la totalité du réel et qui n'est après tout qu'une logique parmi d'autres possibles, en lui opposant les ressources insolites de la pensée ludique.

Quel magnifique travail de subversion!

L'insolite, le futile et l'inattendu ne sont, en effet, jamais ici que des signes destinés à rendre concret l'intangible.

Un peu comme chez Flaubert ou chez Kafka, les personnages de Suzanne Jacob se sentent-ils vaciller, voilà qu'ils remarquent des détails inutiles ; voilà que le monde affirme tout à coup son irréconciliable étrangeté dans une espèce de surgissement poétique. En ce sens, le soin avec lequel Suzanne Jacob s'applique à décrire ces êtres insolites avec une neutralité et une objectivité jamais niées, confine à un véritable acquiescement par défaut.

Chacun à sa manière et dans son registre particulier, les personnages de Suzanne Jacob posent alors le problème de la survie des êtres et de l'intégrité de leurs paroles dans un monde où « la pensée prétend à l'unisson (et) où l'action tend à l'uniforme[1] ».

« Toute vraie parole, écrit Valère Novarina, consiste, non à délivrer un message, mais d'abord à se délivrer soi-même en parlant. Celui qui parle ne s'exprime pas, il renaît. Toute vraie parole est résurrectionnelle[2]. »

Les récits imaginés par Suzanne Jacob ne sont

jamais gratuits. Ils ont d'autant plus de poids qu'ils mettent en jeu les limites de notre propre vie et de la conscience que nous en avons.

Il est difficile de ne pas céder à la tentation de voir en Suzanne Jacob le double de ces personnages de femmes qui hantent les textes de *la Survie*, un peu sorcières sur les bords, et qui, en donnant à entendre ce qui ne se dit pas ou ce qui, semble-t-il, n'a pas de but, ont appris à maîtriser avec un art consommé la science de l'instant.

GUY CLOUTIER

Notes

1. « L'Écrivain et la Liberté », texte de présentation de la 17e Rencontre québécoise internationale des écrivains (avril 1989).
2. Valère Novarina, « Notre parole». *Libération* (27 juillet 1988).

Une petite fille

Une petite fille patiente qui ne sait pas encore qu'il y a des milliers de petites filles patientes est assise toute droite sur la chaise brune aux barreaux usés de la salle à manger. Elle n'invente rien. Elle ne tourne pas de mots dans sa bouche. Elle ne songe pas à son anniversaire, ni à des carrés de sable plus fin que le sable de la cour auquel elle ne pense pas bien qu'il y en ait dans ses souliers. Elle ne rêve pas au bruit que le céleri fait dans l'oreille quand on le croque, ni à la fourmilière qui s'affole d'un brin de foin, ni à l'odeur du pain qu'on fait griller le matin en même temps que le café fume dans la tasse rouge de son père. Elle ne cherche pas à imaginer une nouvelle cachette introuvable pour ses secrets. Elle n'entend ni les sons que font les choses en retournant prendre leur place, ni le froissement des trois peupliers, ni le chatoiement de l'été sur le gros saule d'en arrière dans lequel elle peut grimper jusqu'à la peur. Elle n'a pas envie, comme souvent, d'aller très vite se rendre compte si les feuilles goûtent toujours leur goût amer, ni si les herbes sont mûres pour faire leur sifflement entre les pouces de la main.

Elle ne pense pas à la nappe blanche à fleurs vertes qui sent l'air frais dans le buffet, ni à l'ordre de la coutellerie à roses de métal, ni à la boîte de chocolat qui est rangée pour un prochain dimanche, ni à la lueur de la lampe qui se glisse dans l'escalier avec la voix des autres pendant qu'elle s'endort, le soir. Elle n'a pas peur des êtres qui vont encore sortir de sous le lit et qui vont l'effrayer pendant la nuit.

Ce n'est pas l'heure de la sieste. Ni l'heure de la collation ni l'heure du souper. C'est une heure de rien. La petite fille patiente est assise dans l'heure de rien. Elle patiente.

Le Temps des fraises

Je les tenais dans mes mains et j'ai dû ouvrir la porte par un jeu de coudes compliqué et avec mes genoux et finalement j'ai refermé la porte d'un bon coup de pied. Je me suis précipitée dans la cuisine. La cuisine chez nous a une porte battante sans poignée. Je l'ai envoyée taper contre la cheminée peinturée verte : ma mère trouve toujours que je suis trop bruyante, que je fais de trop grands gestes, que j'ai une trop grande bouche, que je parle trop fort, que je déborde et ça la fatigue.

— MAMAN !

J'ai regardé si elle n'était pas dans la cour, des fois elle va respirer et regarder les arbres dans la cour. Elle reste sur la galerie et elle regarde le ciel et elle se frotte le front. Elle n'était pas là. La porte de la salle de bain était fermée. J'ai frappé avec mon coude parce que j'avais les mains pleines.

— Pas si fort, mon dieu, tu ne peux pas attendre une minute ?

Sa voix, c'est quelque chose de ce temps-ci. Je ne sais jamais au juste si elle parle ou si elle pleure, on dirait qu'elle va ravaler les mots, on ne sait jamais si les mots sortent ou s'ils rentrent.

— Qu'est-ce que tu as, tu es malade ?

Ça ne sert à rien de poser cette question-là, elle est toujours malade, mais elle n'est jamais malade. C'est une spécialité qu'elle a de ce temps-ci et ça occupe tout son temps parce qu'il faudrait qu'elle décide si elle est malade oui ou non et elle a horreur des décisions et les décisions l'épuisent.

— Mais non... mon dieu... tu es en retard. Les autres sont déjà repartis.

— Ferme les yeux avant de sortir de la salle de bain.

C'est sûr que je la dérange. Si je la dérangeais moins, peut-être qu'elle arriverait à ne plus bouger du tout. C'est mon idée de ce temps-ci. On dirait qu'elle n'a plus aucun mouvement qui lui vient de l'intérieur, de par en-dedans. On dirait que c'est nous qui la tenons en vie, mes frères et moi, juste parce qu'on a besoin de manger et de nous brosser les dents et de nous coucher, on dirait que c'est seulement à ces choses-là qu'elle tient, et en même temps on dirait que ce sont ces choses-là qui la tiennent.

Je piétinais et j'ai tapé du pied pour l'énerver, j'entendais l'eau couler du robinet, des fois ça lui arrive de faire couler l'eau pour se laver les mains et de rester là à écouter ou à regarder l'eau couler. Il faut la déranger vraiment pour qu'elle revienne.

— Tu n'as pas besoin de faire ta toilette, TOUTE ta toilette !

— Bon...

Elle a refermé le robinet.

— Attends ! Tu as les yeux fermés ? Je te défends de les ouvrir avant mon signal.

Mes frères ne se rendent pas compte. Il n'y a personne pour se rendre compte avec moi parce que mes sœurs sont pensionnaires et à part mes sœurs, il n'y a personne que ça peut intéresser vraiment sauf mon père. Lui, il se rend compte mais nous n'avons pas la même manière de nous rendre compte. Il préfère que ceux qui se rendent compte n'en parlent pas et ne se prennent pas à témoin les uns les autres. Comme ça, on est plus libre de sa réaction et on n'a pas à en faire une discussion qui risquerait de tourner au procès et de toute façon on ne connaît pas la nature de son virus et peut-être qu'elle n'a pas de virus du tout.

Elle était blême, encore plus blême, et ses taches brunes sur le front et sur les tempes s'étaient accentuées et elle se frottait les reins. Ses cheveux étaient secs et aplatis comme après une grosse grippe avec fièvre et elle n'aime pas aller chez la coiffeuse, ça la fatigue trop, ça lui prend toute son énergie pour trois jours et trois jours de plus pour récupérer. J'ai hésité deux secondes à continuer à m'énerver pour elle. Quand je la vois apparaître comme ça, je me remets en question, je me dis que ce serait peut-être préférable de la laisser immobile, que c'est vraiment ça qu'elle veut, de ça qu'elle a envie, ne plus manger, ne plus prendre de bain, ne plus se lever du tout jamais.

Elle n'ouvrait pas les yeux, comme je le lui avais ordonné. Peut-être qu'elle préférait les garder comme ça parce que souvent la lumière lui blesse les yeux, surtout quand mon père n'est pas là, quand il part. Là, elle s'appuyait contre le frigidaire.

— Tu arrives bien tard. Marc et Olivier sont repartis pour l'école depuis longtemps. Il est une heure ! Tu n'as que dix minutes pour manger et ça va être froid, c'est froid déjà.

C'était ce qu'elle trouvait à dire. Ça me faisait une preuve de sa présence maternelle et des bons soins qu'elle me donnait. Au fond, ça lui était parfaitement

indifférent à elle, manger froid ou manger chaud. L'idéal, pour ma mère, c'est qu'on n'ait plus jamais faim, qu'on n'ait pas besoin de faim pour vivre. L'idéal pour elle, ces temps-ci, c'est qu'on ait besoin de sommeil pour vivre et qu'on dorme toute sa vie pour la vivre.

Je lui ai mis mes mains sous le nez pour voir si ça la réveillerait, même si elle ne dormait pas vraiment, je le sais, mais je suis plus rassurée quand elle dort vraiment que quand elle est appuyée au frigidaire et qu'elle continue comme ça à se masser les reins et que les taches brunes s'agrandissent à vue d'œil autour de ses yeux et sur son front.

— Tu ne sens rien ?

Elle a relevé la tête et elle a essayé d'aspirer trois petits coups d'air. Ça lui prend toutes ses forces ces jours-ci. J'ai entrouvert mes mains pour que ça sente plus fort dans son visage éteint. C'est ça, il est éteint son visage et on ne sait plus comment le rallumer, ni personne, ni rien, parce qu'elle a vu bien des médecins et parce qu'elle prend toutes sortes de médicaments mais elle ne se rallume pas.

Mais là, ses narines bougeaient, et elle a avalé et j'ai vu la salive, un tout petit peu de salive, lui mouiller la fente des lèvres, et ses lèvres se sont entrouvertes et elle a ouvert les yeux et elle a dit « oh ».

C'était un succès. C'était pas le plus gros « oh » qui s'imagine, mais pour une personne qui traverse une période difficile comme ma mère en traverse une, c'était extraordinaire.

Elle a les yeux noirs d'habitude, depuis le commencement, elle a eu les yeux noirs et ses yeux brillaient. Puis, ils ont arrêté de briller. Ça fait peut-être un an. Maintenant, on dirait qu'ils blanchissent et pourtant ses cheveux sont encore très noirs sans cheveux blancs ici et là. C'était avec ces yeux-là, déteints, qu'elle regardait mes mains et je lui ai dit d'ouvrir la bouche, que j'allais lui donner la communion solennelle des premières fraises du printemps du bout du monde, c'est loin de tout ici et les premières fraises viennent après que tout le monde les a eues dans le journal.

— On ne plaisante pas avec ces choses-là, mon dieu.

Elle a dit ça parce que j'avais parlé de communion solennelle et elle n'aime pas qu'on soit impoli pour les choses sacrées comme la communion qui fait partie de la religion et ça doit rester sacré parce que si on ne peut plus faire la différence entre le sacré et le reste, qu'est-ce qu'on va devenir, on ne saura plus à qui on doit quoi, ou à qui on ne doit rien parce que les dettes sont sacrées aussi, mon père et ma mère sont d'accord là-dessus, il y a un commandement qui dit de les honorer et il n'y a rien comme quelqu'un qui honore ses dettes, on peut lui faire confiance pour tout le reste.

En tous cas, je lui ai mis trois fraises sur la langue, les trois plus rouges, les trois plus grosses. Ses mâchoires n'ont pas bougé, je les guettais, je guettais si sa langue se mettait à bouger, rien ne bougeait et elle a avalé.

— Tu les avales toutes rondes ! Tu pourrais les mâcher !

— Oh non, mon dieu, elles fondent entre la langue et le palais.

Ça c'est le genre de surprise que ma mère est capable de me faire. On s'imagine qu'elle est dans le coma et elle sort des phrases comme ça, elle dit qu'elle aime autant le beurre que les bonbons ou elle dit « as-tu remarqué, Julie, la forme de cette pomme», on dirait qu'il va y avoir un courant électrique qui va avoir raison de son sommeil à ces moments-là. Ça me donne des sueurs, ça m'en donnait justement, cette idée que sans broncher d'un seul tressaillement de muscle, elle se rendait compte que les fraises lui fondaient dans la bouche et ça me rendait fière de moi. Puis ses yeux ont fait un genre d'inspection de mes mains, de ma blouse, de ma tunique et de mes chaussures, tout ça sans bouger la tête, rien que les yeux, lentement, tout d'une traite et elle a murmuré « des fraises... »

Elle avait décroché encore une fois. Bon j'ai marché vers l'évier, je me suis ravisée, je suis allée vers la poubelle, j'ai fait claquer le couvercle contre le mur.

— Tu n'es pas contente ? Je les jette.

Elle a bougé. Elle s'est décollée du frigidaire et elle a cessé de se masser les reins, elle a ouvert l'armoire et elle a sorti un bol.

— Mais non, grands dieux, des fraises...

— Je n'en ai pas mangé une seule. Et il n'y a pas une seule queue, tu peux chercher.

C'était vrai. Je n'en avais pas mangé une seule. La talle n'est pas grande. Quand j'ai vu la grosse Bérubé s'approcher de ma talle en demandant si j'en avais trouvé des mûres, j'ai rugi. Elle pense à chaque année que le terrain est à tout le monde parce qu'il n'y a pas de maison privée devant et parce que le bord des rues et les fossés ne sont pas des propriétés privées. Elle pense que premier arrivé premier servi c'est juste des mots, elle dit ça à chaque printemps, à chaque fois que je trouve la talle de fraises rouges et c'est toujours moi qui y pense la première à vérifier ce genre de choses-là et juste parce qu'elle habite à deux pas de chez nous, elle pense qu'elle a des droits sur ce que je vois la première. « C'est MA talle ». Elle, la Bérubé, elle est parfaitement inutile dans un champ de fraises. Elle ne sait pas voir, elle sait seulement écraser avec ses gros pieds, et elle sait seulement se plaindre qu'elle ne trouve pas et comment ça se fait que toi tu trouves et ce n'est pas juste. Elle m'énerve.

Là, ma mère plissait les paupières en regardant la cour au-dessus de l'évier. J'ai mis les fraises dans le bol. Je me suis lavé les mains et je me suis essuyée avec le linge à vaisselle. Le linge a pris des taches rouges. Ma mère a vu ça et elle a soupiré. C'est toujours ça. Quand elle soupire, ça veut dire qu'elle a du souffle dans la poitrine assez pour se permettre un souffle.

— Ton dîner est sur la table. Je vais aller m'étendre un peu. Je vais garder les fraises pour la collation. Merci ma chérie, elles sont splendides, splendides.

Je me répétais ça. Splendides, splendides. C'est le genre de mot qu'elle emploie pour des fraises ou pour les cailloux qu'elle trouve dans la cour parfois. C'est un mot qui lui erre dans la bouche à propos de rien et qui est fait pour se débarrasser de ce qu'on a pas, de ce qui manque vraiment alors que ça pourrait être.

Je n'avais pas faim. J'ai regardé mes souliers. Ce sont des souliers bruns. Des *Savage*, ce sont les meilleurs pour les enfants et les adolescents, c'est monsieur Turgeon qui nous chausse, il l'a dit à ma mère et ma mère ne veut pas qu'on achète des souliers qui ne soient pas des *Savage* parce que les *Savage* sont durables aussi.

Je les aime bien, mes souliers. Ils sont râpés à mon goût et vraiment faits à mon pied et sans ampoule.

J'étais en retard de toute façon. J'ai décidé qu'un peu plus ou un peu moins, je pouvais prendre mon temps. C'est comme quand je sais qu'il y a une faute dans mes dictées, je ne corrige pas le texte. C'est tout ou rien avec moi. Si je suis sûre de ne faire aucune faute, bravo, je corrige. Mais si je sais que de toute façon j'aurai une faute parce qu'il y a un mot dont j'ignore l'orthographe ou un verbe que je ne saurai pas faire accorder, alors tant pis, je ne corrige pas.

Ma mère se retournait dans son lit même si elle avait fermé la porte. Avant, elle chantait souvent. C'était silence dans la maison chez nous, mes frères étaient à l'école. Puis, je l'ai entendue pleurer.

Gérald dit que les femmes sont faites rien que pour pleurer. Il dit que sa mère pleure pour rien et lui et son père jamais. Il dit que ça ne sert à rien.

J'ai fait attention pour ne pas faire de bruit parce que le plancher craque chez nous, et je suis allée comme ça jusqu'à la porte de leur chambre. C'était bien ça, je ne m'étais pas trompée, elle pleurait. Elle pleure drôlement ma mère. D'abord, elle n'est pas comme la mère de Gérald, elle ne pleure pas pour rien, elle ne pleure jamais même si ses yeux déteignent ces temps-ci et qu'on pourrait le croire à cause des taches brunes autour de ses yeux et sur son front. Une fois elle a pleuré parce que ma sœur s'était rentré un clou dans le pied et c'était le quatrième chez nous qui se rentrait un clou dans le pied et ça représentait de l'ouvrage et des bains de pied et de l'onguent. C'est long à guérir des pieds, ça ne devrait pas, après tout, c'est avec les pieds qu'on va. Mais c'est fait comme ça.

C'était bien ça, elle pleurait de plus en plus fort avec des sanglots et des hoquets. Moi j'étais de l'autre côté de la porte, j'avais une main sur la poignée de la porte et je me demandais quoi faire, je trouvais que j'aurais dû me dépêcher de m'en aller à l'école, après tout je n'avais rien à faire ici puisque normalement je suis à l'école à cette heure-là et qu'en réalité, pour ma mère, j'étais vraiment à l'école.

J'ai tourné la poignée avec toutes les précautions pour qu'elle ne fasse pas un saut, ce n'est pas une chose à faire à une personne qui se croit seule dans une maison, surtout que notre maison chez nous est assez grande et surtout quand elle pleure et qu'elle est sûre que personne ne peut l'entendre.

J'aime bien leur chambre. C'est la plus grande de la maison chez nous. Ils ont un grand lit à tête de bois sombre. Il y a un papier peint à oiseaux blancs sur fond bleu royal sur un des murs, celui du lit des bébés. Ma mère n'aura plus de bébés je crois, je ne sais pas, mais elle garde toujours le lit des bébés dans leur chambre au cas. Ils ont un édredon bleu royal sur leur lit. À ce moment-là, l'édredon bleu royal se gonflait et se dégonflait comme si ç'avait été lui qui pleurait.

Je ne sais pas ce qu'elle a. Elle a quelque chose. Ça arrive à tout le monde d'avoir quelque chose et parfois ça dure longtemps, c'est solide. Ça je le sais. Mais tout le monde, ce n'est pas elle justement. C'est mon point de vue. Mais qu'est-ce que je pouvais faire. Ils ont chacun leur commode et leurs tiroirs. Elle a étiré son bras vers la commode et elle a pris toute la boîte de *Kleenex* avec elle sous l'édredon. Elle ne m'a pas vue, elle aurait pu me voir grâce au miroir, elle aurait fait un saut, elle n'aurait pas cru que c'était moi parce qu'elle ne croit pas que je peux faire quelque chose sans faire beaucoup de bruit ou sans déplacer tout un monde et beaucoup d'air.

Je ne sais pas, je suis ressortie de leur chambre, j'avais trop chaud, je me demandais si je faisais de la fièvre parce que je suis très sensible à la fièvre pour rien et les tempes me battaient. Si quelque chose pouvait lui faire battre les tempes comme ça, à elle, je ne sais pas si elle serait en train de pleurer, je ne sais pas.

J'ai couru. J'ai secoué ma tunique et je suis entrée dans la classe. Il fallait qu'elle fasse un commentaire, je ne peux rien faire sans qu'elle en fasse un. Si je voulais qu'elle ne passe pas de commentaires, il faudrait que je fasse exactement comme tout le monde ici et encore, elle trouverait le moyen de se prouver que je suis en train de faire comme tout le monde pour me distinguer. Elle dit qu'il faut toujours que je me distingue.

— Vous êtes en retard, mademoiselle Chavarie.

C'est bien son genre de commentaire. C'est sa façon à elle bien personnelle de passer une remarque même si ça ne sert à rien de déranger TOUTE la classe parce qu'UNE élève arrive en retard puisque tout le monde a déjà remarqué la chose de toute façon. Mais elle, il faut toujours qu'elle fasse une histoire avec excuse et bonne raison.

— Vous avez raison ma sœur, je suis en retard et je m'excuse d'être en retard ma sœur.

J'ai dû dire ça sur un ton spécial. Toutes les autres ont ricané sauf la sœur et moi. Il n'y avait rien de drôle mais c'est vrai que j'ai dit ça sur un ton spécial, je suis d'accord, elle peut me le reprocher, je suis prête à admettre mes torts quand j'en ai, je les admets la plupart du temps et quand je n'en ai pas, de torts, j'en invente, j'en invente même pour les autres si c'est nécessaire, ça ne me fatigue pas. J'ai soulevé le couvercle de mon pupitre.

Mes livres et mes cahiers sont tous recouverts d'un papier d'emballage brun, c'est celui de l'épicier Crépeault, il a un côté mat et un côté luisant. Moi, je mets le côté luisant à l'extérieur des livres parce que je pense qu'il est imperméable de ce côté.

Mes livres étaient là alignés parce qu'on avait fait un ménage de nos pupitres vu que les examens du Département de l'Instruction publique approchaient et que ça donnait l'occasion de faire du ménage. C'est beau, un pupitre en ordre parce que les yeux sont le miroir de l'âme et parce que ce qui se conçoit bien s'annonce clairement. J'avais la tête dans mon pupitre et le couvercle sur la tête et j'entendais le silence que j'avais produit dans la classe. J'ai compris à la qualité de ce silence, il y a des quantités de qualités de silence, tout le monde est habitué, j'ai compris que ce silence-là attendait que je referme le couvercle de mon pupitre parce que le couvercle levé dérangeait tout le cours, dérangeait la ligne d'horizon dont la sœur avait besoin pour se concentrer car nous étions en période de révision.

Je ne sais pas. J'étais comme collée derrière ce couvercle. J'étais comme paralysée par ce couvercle que je retenais avec ma tête pendant que mes mains fouillaient mon étui à crayons je me demande pourquoi. Mon pupitre est dans la rangée au bord du tableau parce qu'au bord de la fenêtre je suis trop distraite et je passe des commentaires sur ce qui se passe dehors et j'annonce aux autres tout ce qui se passe dans la cour de l'école et tout ce qui descend ou monte la deuxième avenue et ça l'exaspère, la sœur, d'entendre parler du monde extérieur le plus près de nous. Il faut toujours qu'on parle du monde extérieur reconnu par les livres et pour les livres et dans les livres. C'est la ligne de la

Commission scolaire ici de nous faire apprendre de quelle couleur est la Seine à Paris et sa chaleur et sa largeur et tout, et de ne pas parler du tout de l'Harricana qui traverse notre ville ici, on ne peut pas parler de tout tout tout. Ici de toute façon, c'est un pays de colonisation, alors on ne peut pas se mettre déjà à savoir le nom des arbres et des arbustres et tout et le camion de pompiers est rouge de toute façon comme partout ailleurs c'est international et la terre est plus grande qu'auparavant, quand ma mère est née la terre était beaucoup plus petite parce que les mass media n'étaient pas au point où ils en sont d'avoir agrandi la planète à l'échelle mondiale. En tous cas la sœur a changé mon pupitre de place pour éliminer la distraction. Je suis sûre que la Commission scolaire est d'accord avec cette décision et je n'ai pas eu de recours là-dessus.

— Mais enfin Julie allez-vous sortir de ce pupitre ?

C'était ce que je souhaitais le plus au monde internationalisé que de réussir à sortir de ce pupitre. Elle ne s'en doutait pas et je n'allais pas lui dire comme ça à la dernière minute à la fin de l'année scolaire que nous pouvions, elle et moi, partager la même espérance ne fût-ce que l'espace de quelques secondes. Je ne pouvais pas lui faire ça parce qu'elle aurait été trop bouleversée à la pensée de s'être trompée sur mon compte pendant si longtemps. Ça m'arrive souvent de ne pas détromper les gens sur mon compte parce que ça simplifie la vie, et j'imagine que tout le monde en fait autant, même vis-à-vis eux-mêmes, autrement on serait pressé et les choses changeraient trop vite autour de nous et les changements trop brusques fatiguent la plupart des gens et leur donnent des nausées et des migraines et des problèmes.

Bon, j'avais envie de pleurer. Je ne savais plus comment me contourner, je ne savais plus comment m'endiguer. Je me disais qu'il fallait que je tienne jusqu'à quatre heures, qu'il le fallait absolument vu que j'étais la plus sans cœur de toute l'école et de toutes les élèves à qui la sœur avait enseigné depuis qu'elle avait commencé dans l'enseignement à Nicolet, et de là à Yamachiche, de Yamachiche à La Tuque, de La Tuque à Macamic et de Macamic à Amos et peut-être dans d'autres villes, j'étais la plus toffe, la plus gars, la plus sans cœur. Je n'allais pas détruire ma réputation en deux secondes de faiblesse toute chimique et toute physique de surproduction subite des glandes lacrymogènes. Une réputation, quoi qu'on en dise, c'est construit par les autres à coup de compréhension et d'ouverture d'esprit et ça peut mener à la présidence d'une école comme ici ou en tous cas, ça peut servir à l'influence. Alors je serrais les mâchoires, je les desserrais, je mâchais ma langue, j'essayais de me rappeler la dernière histoire cochonne que Gérald m'avait contée, je me fouillais la rate en vue d'un fou rire, rien.

Alors j'ai baissé le couvercle de mon pupitre parce qu'elle approchait de mon pupitre, je sentais ça et je sentais aussi qu'il allait y avoir une dégelée de mots doux vu la tension qui régnait dans la classe.

Elle était déjà là près de mon pupitre, je lui voyais les trous des narines agrandies par le dérangement, j'étais assise et elle restait debout comme les polices de la route qui arrêtent les chauffeurs assis.

Nos yeux se sont croisés. J'ai vu dans les siens. La partie était gagnée parce qu'il y avait une chose à laquelle elle ne s'attendait pas du tout et depuis jamais elle ne m'aurait crue capable d'une chose pareille et j'ai su que j'étais la plus sans cœur et la plus dure vraiment. Je savais qu'elle baisserait les yeux dès que je le ferais et je l'ai fait. Je lui ai pleuré en pleine face sans la lâcher des yeux ni rien et j'ai pleuré et j'ai pleuré et j'ai pleuré.

Alors la sœur a été très punie par cet événement mais je sais que ma mère a quelque chose et ça ne m'avance pas qu'il y ait quelqu'un qui soit puni en ce qui concerne ma mère.

Une femme

Une femme, debout devant la glace de la cheminée déserte, retire les épingles de sa coiffure. Son bras droit se déplie et se replie lentement, ses doigts fouillent le chignon savant que seule la coiffeuse de la première avenue sait réussir.

Cette femme n'est plongée dans nulle profonde rêverie. Elle n'éprouve aucune nostalgie, son visage n'est ni tendre, ni sévère, ni triste, ni souriant.

Il fait très doux dehors et il fait nuit. Cette femme ne s'en soucie pas.

Dans quelques heures, les roses jaunes dans le vase de cristal auront fait leur temps. Cette femme est indifférente à ce détail-là. Cette femme, une femme, a retiré ses souliers. La plante de ses pieds ressent l'épaisseur du tapis de laine rouge, mais la femme, elle, ne ressent rien de cela. Ni fatigue, ni lassitude, ni bien-être. Un geste pour chaque épingle de la coiffure, c'est tout. Elle n'entend pas la sonnerie du téléphone. Ni celle de la porte. Elle n'entend pas qu'on ouvre. Elle n'est pas surprise de voir un deuxième visage dans la glace, un visage qui n'est pas le sien, mais qui paraît comme s'il n'avait jamais cessé d'être en même temps que le sien dans la glace, un visage qui semble avoir été là depuis toujours, l'accompagnant.

Le Parka

Quand il a faim, il traverse l'avenue et il mange au snack-bar. Ce jour-là, la bruine noie les façades. Les lampadaires ont l'air de lunes égarées, flottantes.

L'homme met son parka. Il descend dans la cave et s'assied. Dans une longue chaise berçante, il se berce. Il se berce. Il se veille lui-même sans rien éprouver pour lui-même.

De petites flaques de temps suintent du ciment. De temps en temps, l'homme hausse les épaules. Personne ne sait pourquoi et il n'y a personne. L'homme échappe un petit rire. Ça ne fait aucun bruit.

Quelqu'un entre là-haut. L'homme entend. Quelqu'un ouvre la radio. Ça joue très fort, ça descend jusque dans la cave. L'homme s'enfonce dans le parka. 
Quelqu'un appelle, quelqu'un crie le nom de l'homme. L'homme s'enfonce, s'enfonce. Du parka, il ne dépasse plus que quelques cheveux. L'homme disparaît.

Là-haut, on sort en faisant claquer la porte. La radio joue. Au snack-bar, quelqu'un remarque qu'il y a un homme qu'on ne voit plus.

Marie Germain

Marie Germain pénétra dans le hall de l'hôtel Reine Élisabeth. Elle se laissa tomber dans le premier fauteuil libre. C'était vers trois heures d'un après-midi de juillet. Marie Germain tremblait un peu. L'homme qui attendait dans le fauteuil d'en face remarqua cela. Il oublia à ce moment-là ce qu'il était venu faire à Montréal.

Marie Germain examina soigneusement ses achats qu'elle entreprit de ranger dans un seul sac. Elle s'étira ensuite longuement comme si elle était chez elle tout à fait seule.

L'homme se dit que Marie Germain n'était pas belle mais il oublia le scotch qu'il avait décidé d'aller prendre.

Marie Germain se mit à examiner les gens qui circulaient dans le hall. Ses yeux tombèrent juste dans les yeux de l'homme qui était assis en face d'elle. Il ne passa rien, ni dans le regard de l'un, ni dans celui de l'autre. Marie Germain ne pensa à rien. Elle ferma les yeux. Le mois de juillet ne finirait jamais. Ni le mois d'août. Ni aucun mois. Elle respira profondément.

L'homme ne se dit rien. Marie Germain se leva pour aller boire une limonade au café de l'hôtel.

L'homme la suivit. Rendue à la porte du café, Marie Germain se ravisa, passa tout droit et sortit sur le boulevard Dorchester. Elle mit sa main sur son front en visière et elle marcha lentement vers l'ouest. Son sac d'achats lui pesait. Quand elle fut juste devant la basilique, elle déposa le sac sur le trottoir. Elle regarda les douze apôtres dont les statues surplombent la basilique. L'homme suivit le regard de Marie Germain et leurs regards se croisèrent à nouveau, sans rien exprimer. La bouche de Marie Germain était légèrement ouverte. L'homme se dit que Marie Germain avait soif. Marie Germain continua à marcher vers le parc attenant à la basilique sans avoir repris son sac. L'homme se précipita derrière elle, prit le sac, et ne sachant comment interpeler Marie Germain, il continua à la suivre.

Marie Germain consulta sa montre, eut l'air surprise, héla un taxi, s'y engouffra. La voiture disparut dans la circulation du boulevard. L'homme s'assit sur un banc, il ouvrit le sac dans l'espoir d'y trouver une adresse ou un nom sur une facture. Il y trouva du papier à lettres, un cahier à dessins, des crayons de cire, des crayons feutre, de l'encre de Chine, des cassettes vierges, un foulard de coton rouge, un petit pot d'olives noires, un bracelet de marbre. Le marbre était frais. L'homme le tint un moment dans sa main. Il lui revint  alors en mémoire qu'il était à Montréal par affaires. Il haussa les épaules, se leva, jeta le sac dans une grande corbeille de métal et il obliqua.

Pour un pull de laine bleu marin

Je me sens dans un film. J'ai rendez-vous pour faire l'amour. On va faire semblant que ce n'est pas clandestin et il va choisir un motel dans une direction parfaitement opposée à chez lui et il va souhaiter toute la soirée ne rencontrer aucun visage connu.

Il descend toujours de sa Ford immense tout confort pour m'ouvrir la portière. Silence, on tourne ! Le dialogue est mince. Ça va toujours très bien, il a toujours été très occupé, il s'améliore au golf l'été, au curling l'hiver, sa femme se porte bien, ses enfants se préparent une bonne vie. Il répond toujours avec reconnaissance. Il me serre la main avec reconnaissance, il sourit avec reconnaissance, il allume sa cigarette avec reconnaissance, il appuie sur l'accélérateur avec reconnaissance.

— Vous avez faim ? Vous voulez que nous allions souper quelque part ?

Ça, c'est toujours le début. Ai-je faim ? Ai-je besoin de vitamines ? Invariable, je réponds que oui, que certainement, qu'il faut qu'on mange, que c'est nécessaire, dans notre situation, on ne peut passer à côté, on ne peut faire autrement.

— Non, ce soir, on bouleverse l'horaire. On mange après.

J'ai dit quelque chose de drôle ? Il rit. Mais qu'est-ce que je fais avec une tête pareille ? Il n'a rien pour lui. Yeux globuleux, front dégarni, nez épaté, lèvres inexistantes. Mains noueuses, rugueuses.

— D'accord, dit-il avec reconnaissance. On va au même endroit ? Ça vous a plu la dernière fois ?

— Beaucoup.

Au contraire, ça ne m'a pas plu du tout. Les motels ne me plaisent pas. Si son chalet n'était pas si éloigné, nous pourrions nous y rendre. Dans les motels, il manque de microbes. C'est infect. Il n'y a aucune vibration dans les motels. Il ne m'a pas encore dit combien il me trouve belle. Il va le dire au prochain feu de circulation. C'est à prévoir. Autrement il me surprendrait et il n'aime sûrement pas surprendre. Il ne surprend jamais. Il fait toujours des choix prévisibles, des cadeaux prévisibles, il téléphone à des heures prévisibles, toutes ses cravates sont prévisibles et toutes ses caresses aussi.

— Vous êtes très belle ce soir.

— Vous êtes trop aimable.

Et tac. On se vouvoie. Ça lui donne des sueurs, il ne saisit pas tout dans le vouvoiement que je lui impose. Il s'inquiète. Je le rassure d'un serrement de main qui le rassure puisque c'est précisément ce qu'il attend pour être rassuré. Évidemment, il pilote une voiture automatique qui permet les serrements de main.

Il descend. Il va louer la chambre. Il va revenir en faisant sonner les clefs. Il va siffloter en sortant du bureau de location. C'est ça. Il siflotte. Il arrête le moteur juste en face du numéro quatorze. 14. Ça ne me dit rien. Pas d'anniversaire. Oui. Le quatorze juillet, les

Français. C'est toujours ça. Entrons gaiment mes frères, mes sœurs. Je me précipite à la fenêtre pour l'ouvrir. Je décapuchonne les verres. Je sors tous les petits savons de leur emballage. Je défais le lit. Je déplie les serviettes et les débarbouillettes, je chiffonne tout. Il rit.

— Vous n'oubliez jamais.

Il dit ça avec admiration, avec reconnaissance. En effet, je n'oublie jamais. Y a-t-il quelque chose qui me ferait oublier qu'on va se coucher chez personne au numéro quatorze dans le désinfecté, dans cette odeur d'antiseptique qui me rappelle qu'il faut y mettre du désordre, tout le désordre possible. Pendant que j'éparpille mes vêtements sur le fauteuil et sur la commode, il prépare mon Pernod et son rye. Il a un bar portatif très chouette, compact, discret, bien garni.

— À la santé de ma merveilleuse maîtresse !

— À la santé de votre merveilleuse maîtresse !

Maîtresse mon œil ! Drôle de conception ! Un homme qui se rue sur les lampes avant d'ôter sa culotte prétend m'avoir, moi, moi, comme maîtresse ! Je bois la moitié de mon Pernod d'un trait. La tête me tourne. Il est assis au bord du lit. Il va défaire les boucles de ses lacets avant de sortir de ses chaussures, je le sais d'avance. Ce n'est pas un homme qui enlèverait ses chaussures sans les délacer, non. Et il va lui falloir des cintres. Qu'est-ce que je fais là ? Tu peux me le dire ?

— Vous venez ?

— Bien sûr.

Il est gentil. Il me montre le lit. Je suis gentille. Je le rejoins. Je m'étends sans renverser mon verre. Gentiment, je défais sa cravate, ses boutons, sa ceinture. Je fais régner la confiance, je le comprends, je masse tendrement ses tempes, je mêle adroitement la mère, la maîtresse et la petite fille. Voici les soupirs, les grands soupirs d'abandon. Voilà les soupirs, les courts soupirs du désir. Je fais tout ce qu'il faut faire. Je ne lui laisse pas le temps de me prendre, je le prends moi-même, c'est moins de risques. Je le parcours. Il geint. Il gémit. Il jure. Il n'ouvre pas les yeux. Il n'ose plus éteindre la lampe de chevet depuis qu'à chaque fois je la rallume parce que je veux voir son visage, son affreux visage à peine remué par la jouissance.

— Vous êtes merveilleuse.

Il est déjà assis, il est déjà sous la douche, il fait déjà des exercices de conditionnement physique. Il siffle déjà en se rhabillant. Il me bécotte à chaque fois qu'il passe près de moi qui suis debout devant la fenêtre qui donne sur une cour intérieure dans laquelle chaque voiture est stationnée devant une porte à numéro.

— Et vous ma chérie, vous n'avez pas...

Il est sincère. Non, je n'ai pas... Après quelques vains essais, je l'ai convaincu que faire... me suffisait. Il n'est pas doué, ça arrive, ce n'est pas plus grave que ça. Il faut bien qu'il proteste un peu cependant.

— Ah ! Je ne comprendrai jamais les femmes.

— J'ai faim !

Je veux des huîtres, c'est la saison. Des douzaines d'huîtres fraîches et du citron et je veux des escargots à l'ail et du bordeaux, du bon bordeaux CHER. C'est quand même drôle quand on a besoin d'affection tout à coup ce que le mot CHER peut résonner dans la cervelle.

— Je vous ai rapporté un petit présent d'Angleterre.

— Attendez que je devine... des biscuits ? Non, alors une bonbonnière en *Wedgwood* ? Non. Je donne ma langue au chat.

Ça va être un *pull* de laine, ma l
ne peut pas être autre chose parc
qu'il va en Angleterre, sa femme et
et son autre fille lui demandent des *pul*
me rappelle mon père quand il retournait e
la boîte plate et longue avant de l'ouvrir et qu'i
« ce n'est sûrement pas une cravate ».

On sort du motel pour toujours parce que la prochaine fois on ira se nicher ailleurs pour faire diversion. La diversion, c'est très important dans les affaires d'amour.

Dans la voiture, il tourne tout de suite le bouton de la radio. Ça stimule l'imagination, ça fait des liens entre les vides ternes de la conversation. Le cadeau est sur la banquette arrière dans un sac brun vous comprenez je n'ai pas pu l'emballer j'espère que ça vous plaira. C'est un *pull* de laine bleu marin. Je l'enfile sur-le-champ. Je suis ravie. Je regarde cet homme avec des yeux aussi reconnaissants que les siens. Il me tend les lèvres.

— J'aurais voulu faire beaucoup plus.

— C'est trop, c'est beaucoup trop.

Nous roulons vers le centre-ville. Feu vert. Feu rouge. Vendredi soir. La circulation est encore lente. Je n'ai plus faim. J'ai juste envie d'aller me coucher avec mon *pull* de laine bleu marin. J'ai envie de me recroqueviller à l'infini là où se joignent les parallèles et de ne laisser qu'une petite coquille sur la banquette de cuir rouge d'une Ford à air conditionné et à cerveaux-freins.

Les Deux Sous

On était d'accord. Il n'y aurait pas de cris. Pas de larmes. On ne ferait pas de procès, on ne ferait pas les comptes. Ni l'un ni l'autre n'avait accumulé les preuves : on était d'accord.

Ils invitèrent les quelques amis avec lesquels ils avaient gravité autour du soleil pendant neuf ans. L'homme huila les deux carabines, la femme scruta la photo et choisit l'emplacement. On se mit en marche.

La bruine mouillait finement l'événement. Tous connaissaient le mont Chauve. Tous connaissaient le rocher à Pipe, tous savaient où on allait. À mesure qu'on avançait, les cheveux de tous grisonnaient un peu plus. Très loin, un train siffla. Quelqu'un suggéra qu'on aurait mieux fait de se diriger du côté de la rivière de l'Envie. Celui qui avait parlé buta contre une souche et oublia sa suggestion. Chacun ramassait les branches mortes qu'il trouvait sur sa route. On s'était entendu ainsi. L'homme fit circuler le flacon d'alcool. Personne ne refusa le goulot.

Ils avaient le sens des rites et de la cérémonie. Ils avaient été initiés fort jeunes à la liturgie des chanoines. Ils montèrent le feu et le feu monta jusqu'aux jeunes aiguilles des pins. La femme s'était accroupie. La carabine posée entre ses jambes avait l'air d'un vieil animal souple. L'homme respirait de profil comme toujours. Cela donnait aux autres une sorte de certitude que l'homme était absent en dépit des apparences.

Lorsque le moment fut venu de dévoiler les offrandes, les amis entonnèrent un air ancien. On put voir alors la tourterelle dans sa cage blanche. On s'extasia. On déposa la cage à proximité du feu et on se laissa hypnotiser par la flamme. Les choses bêtes qui les guettaient tous, les choses très ordinaires se résolvaient en se dissolvant à la chaleur. C'était par choix qu'ils ne se souvenaient de rien, d'aucune de leurs extases innombrables, d'aucune de leurs traversées. De rien, ils ne se souvenaient de rien par choix. Au centre de leur forêt, ils étaient des consentants absolus à l'évidence du présent.

L'homme et la femme épaulèrent les armes. On se fit confiance. Il n'y avait qu'une balle et on ne sut jamais de quelle arme elle fendit la bruine, la cage et l'oiseau à collier. Personne jamais ne tenta de le découvrir.

Ils se dispersèrent. Ils croisèrent des enfants qui couraient en disant : « On a tiré ! »

Ils rentrèrent dans leurs bureaux du centre-ville et continuèrent à lire les mêmes journaux sans s'émouvoir.

Bien plus tard, l'homme croisa la femme dans une tabagie. Elle lui dit qu'il lui manquait deux sous pour payer son paquet de *Gitanes*. L'homme les avait.

La Robe jaune

Marc s'attardait. Il contemplait les patineurs qui se croisaient et s'entrecroisaient sur le canal. Il n'avait pas envie de retrouver sa chambre nue. Le froid l'obligea à bouger. Il prit la direction du campus. Les rues étaient désertes. L'image d'une robe jaune criard surgit dans sa tête. « Tu es triste, tu t'habilles tristement, tu as l'air d'un être anonyme », disait la robe.

La robe jaune, néanmoins, réchauffait l'atmosphère de la rue. « Tu ne feras jamais rien de COLORÉ. »

La robe jaune s'estompa en ricanant. Marc haussa les épaules. Devant le restaurant *la Chandelle*, il hésita un moment. L'idée de l'éclairage, des odeurs et des visages le fit continuer sa route. À cette heure-ci, le Wasteland serait vide.

Il descendit les marches en prenant soin de ne pas se heurter contre le cadre de la porte basse. Marc n'était pas un habitué du petit café de l'aumônerie. Deux étudiants plongés dans leurs livres, un amateur d'échecs à la recherche d'un partenaire relevèrent à peine la tête pour voir qui entrait.

On se servait soi-même. Marc se réchauffa les doigts sur sa tasse de café, prit du temps pour se choisir une table. Il se débarrassa de son manteau de drap bleu marin de coupe classique et l'installa avec précaution sur le dossier d'une chaise, avec une crainte évidente des faux plis. Il tira les manches de sa chemise de façon à ce qu'elles débordent légèrement de son pull ivoire dont la laine était fine et caressante. Chacun de ces mouvements coûtait très cher à Marc.

Marc était absorbé par un monde frisant l'informe pur, par un monde drainant toutes ses énergies dans une espèce de vacuum d'où il fallait toujours vouloir émerger avec force et violence pour pouvoir poser un geste dans le monde concret.

Marc prit une première gorgée de café et la suivit le plus longtemps possible tout en énumérant les régions biologiques que le liquide traversait. Puis son esprit fut absorbé à nouveau par l'éponge invisible, par l'univers parallèle aspirant dans lequel Marc passait le plus clair de son temps.

Le piano près duquel Marc avait choisi de s'asseoir fut soudain secoué par un pianiste dont le but avoué était de dérouiller cette antiquité. Le piano antique accepta d'émettre des sons, puis, de se mettre à chanter. Marc observa la chute des ondes sonores qui devenaient muettes dès qu'elles étaient captées par le transformateur-éponge de son monde intérieur. Le pianiste se mit en colère et interpela Marc. Difficilement, Marc émergea, fit surface et leva son regard vers le pianiste.

— Je n'y suis pour rien, dit Marc. Il but sa deuxième gorgée de café sans quitter le pianiste des yeux.

— Hostie ! jura le pianiste.

— J'aurais beaucoup aimé être pianiste comme vous, murmura Marc.

— Je suis musicien. Je n'aime pas les pianistes. Ils sont tristes parce qu'ils doivent suivre les partitions.

Le musicien commençait à éprouver de la sympathie pour Marc. Par-dessus la table, il tendit la main :

— Sans rancune. Vous aimez les chiens ?

— Je ne sais pas, dit Marc. Je sais que les chiens jappent. On dit qu'ils sont fidèles. Quelqu'un m'a dit que ça pouvait coûter jusqu'à vingt-cinq dollars par mois d'entretien. Je ne sais pas.

Visiblement épuisé par toutes ces paroles, Marc prit une troisième gorgée de café.

— Vous êtres bien mal renseigné. Un gros chien comme le mien, mélange de berger et de labrador, coûte au maximum dix dollars par mois. On se tutoie ?

— Hé, le pianiste, tu viens faire une partie ? dit l'amateur d'échecs.

Le petit café se remplissait. Marc, content d'être arrivé avant les autres, gardait les yeux baissés pour éviter de rencontrer les regards qui s'invitent à s'asseoir et à bavarder. Il y a toujours de ces sortes de regards qui errent dans les petits cafés. Marc réussissait toujours à leur échapper.

— Je peux m'asseoir ?

Elle portait un chapeau noir qui lui couvrait la moitié du visage. Elle n'attendit pas la réponse avant de dérouler le long foulard noir. Elle posa son manteau sur celui de Marc. Elle alla se servir un café. Marc la regarda aller et la trouva presque maigre dans son accoutrement noir, tout noir. Elle se réchauffait les doigts à sa tasse elle aussi. Elle promena un regard de myope sur la salle avant de s'asseoir. D'un immense sac noir qu'elle avait posé sous la table, elle sortit un briquet et un paquet de tabac *Gitanes*. Elle continua à fouiller patiemment le sac jusqu'à ce qu'elle retrouve le papier à cigarettes *Vogue* dont le carton jaune réveilla en Marc l'image de la robe jaune criard. Il regarda sa montre. Huit heures. Il avait promis de lui téléphoner à huit heures. Il s'en souvint cinq secondes. Il ne s'occupa plus ensuite que d'examiner celle qui prenait possession de la table, rangeant son arsenal de tabac à gauche, son café à droite, et posant devant elle un petit cahier qu'elle manipulait comme s'il était en porcelaine. Du sac toujours, elle sortit un encrier et une plume-fontaine. Elle dévissa lentement le bouchon de la petite bouteille. Elle s'appliquait comme une écolière. Elle fit boire sa plume, attentive au bruit d'aspiration du réservoir. Elle se roula une cigarette. Une fois sa cigarette terminée, elle fit un nettoyage en règle des graines de tabac qui étaient tombées sur la table. Elle s'alluma.

— Bon.

Elle largua un long soupir en direction de Marc comme pour le prendre à témoin qu'elle venait d'accomplir un travail de précision dont elle était très satisfaite. Elle ouvrit alors le petit cahier, se pencha sur lui et sourit. Elle lut deux pages, tourna. Son sourire s'accentua quand elle vit les deux pages blanches. Elle prit sa plume et se prépara à écrire.

À cause du chapeau, Marc ne voyait que les lèvres et le menton du personnage. Quelques minutes passèrent sans déranger personne. La fille n'écrivait pas. Elle ne bougeait que pour porter sa cigarette du cendrier à sa bouche, de sa bouche au cendrier. D'autres minutes passèrent. La fille leva la tête et regarda Marc d'un air étonné.

— C'est inouï.

Marc prit la dernière gorgée de café. C'était froid mais il avait assez chaud. La fille insista.

— C'est inouï, répéta-t-elle.

Elle s'adressait certainement à lui. Marc s'étonna à son tour.

— C'est étonnant. Inouï, je ne sais pas, dit Marc.

— Ça ne m'est jamais arrivé, dit la fille.

— Il y a beaucoup de choses qui n'arrivent jamais, dit Marc.

— Vous faites ça souvent ? demanda la fille.

— Je n'y suis pour rien. Tout ça, c'est l'éponge.

— C'est tout de même très rare une éponge comme celle-là.

— Je ne sais pas si c'est rare. C'est certainement très exigeant. Je suis habitué à elle, à sa voracité. Excusez-moi, je vous en prie.

— Pourquoi ?

— Je ne sais pas, murmura Marc. J'ai souvent besoin de m'excuser. Surtout quand je parle de moi.

Il essayait de détourner la conversation, mais il manquait de techniques. Il faut beaucoup de préparation pour effectuer ce genre de détournement quand il n'y a pas beaucoup de passagers.

— Je ne vous ai jamais vu ici, dit la fille.

Elle parlait posément, à voix basse, et son corps ne bougeait pas, ni sa tête, ni ses mains. Marc appréciait beaucoup ce genre de personne parce qu'il distinguait mieux ainsi le sens des mots.

— Et comment vous appelez-vous ? demanda Marc en tentant d'éclaircir sa gorge.

— Je m'appelle Frédérique, mais ce n'est pas si simple.

— Nous sommes sur une pente dangereuse, dit Marc d'une voix tout à fait éclaircie.

— Alors, ne restons pas là, dit Frédérique.

Elle remit tout dans son sac.

— C'est à deux pas, dit-elle en enroulant son foulard autour de son cou.

— Nous pouvons faire un détour si vous voulez.

J'aimerais avoir un peu plus de temps pour me faire à cette idée.

La rue Laurier s'éclairait en passant King Edward et s'assombrissait ensuite jusqu'à devenir presque noire. Ils descendirent par la rue Nelson et revinrent vers l'ouest. Frédérique poussa une porte et guida Marc dans un escalier. Elle plongea dans son sac et mit un certain temps à faire surface.

— J'ai cru que vous n'alliez pas en sortir, dit Marc. Je m'inquiétais.

Pendant qu'elle tâtonnait pour trouver le trou de la serrure, on entendit une voix d'homme et une voix de femme s'élever brusquement l'une contre l'autre. Un duel de sacres et de jurons, quelques injures, et une gifle claqua. Frédérique réussissait à ouvrir la porte et à allumer.

— Vous vous êtes fait à cette idée maintenant ?

— Il reste tout de même quelques faux pas à éviter, dit Marc.

Une robe jaune criard apparut près de la commode. Marc la mit sur un cintre dans le placard de la chambre.

— Nous y sommes, dit-il.

La Chartreuse

Louis se dit qu'il manquerait bientôt de chartreuse verte. Il choisit le fauteuil rouge pivotant après avoir hésité un moment devant le piano. Il se mit en frais de passer à travers sa récolte hebdomadaire de revues, de magazines et de journaux.

Il laissa le téléphone sonner le temps de deviner qui l'appelait. Il répondit d'un ton neutre. À l'autre bout du fil, la voix était froide.

— C'est moi. Allo.

— Allo...

Il y eut un silence suivi d'un grand rire qui déborda du récepteur de Louis.

— Ça y est, tu m'as reconnue !

Louis resta neutre, il soupira. Avec un léger accent de reproche, il lui fit remarquer qu'elle se faisait rare.

— Je me fais rare c'est vrai. Même pour moi. Je ne me vois presque plus.

— Tu es seule ?

— Non.

Louis fit pivoter sa chaise. Du seizième étage, il pouvait suivre la rue Sherbrooke vers l'est pendant longtemps.

— Alors... Et comment vas-tu ?

— Mal.

— Pas de morts j'espère, dit Louis.

— Pas encore.

Louis soupira.

— Je dois rire ?

— Tu ne DOIS rien faire du tout.

La gorge de l'autre s'était serrée. Louis se passa la main dans les cheveux, puis sur la poitrine par sa chemise ouverte. Il se massa le cou. L'autre reniflait en essayant de contrôler des sanglots.

— Tu pleures ?

— Je pleure.

Elle eut un rire bref. Louis regarda la colonne météorologique du boulevard Dorchester annoncer le beau temps. L'autre allumait une cigarette. Sa respiration redevint normale.

— Au fait, dit-elle, je me demande pourquoi je t'ai appelé. Comment vas-tu, Louis ?

— Ça va.

— Le travail ?

— Je ne fais que ça.

— L'amour ?

— Je n'ai pas le temps.

— Bon... c'est tout ?

Louis fut sur le point de chuchoter quelque chose de doux.

— On pourrait souper ensemble un de ces soirs, dit-il.

— Un de ces soirs... oui. Salut.

Louis haussa les épaules et prit une petite gorgée de chartreuse qu'il garda un moment dans sa bouche après avoir raccroché.

Le Réveillon

— Tu dis que les magasins avaient fermé leurs portes et que les rues se vidaient. Tu dis que tu avais tout ton temps parce que nous n'avions pas rendez-vous avant minuit et que tu as flâné devant les vitrines. Puis tu as eu froid. Tu es entrée au terminus pour te réchauffer. Tu t'es assise au comptoir et tu as commandé un café. Bon. Ensuite. Tu dis qu'ensuite tu as vu l'homme en face de toi de l'autre côté du comptoir. Il avait la tête couchée sur le comptoir près de sa tasse de café. C'est ça ? J'imagine que tu t'es aussitôt inquiétée pour lui. Je n'imagine pas, je pourrais le jurer. Donc, tu t'es inquiétée. Et après ?

— ...

— Donc, il s'est redressé et il s'est mis en quête d'un sucrier. Il n'en trouvait pas. Et la serveuse alors ? Il n'y avait pas de serveuse ?

— ...

— Tu dis que la serveuse ne trouvait pas le temps de lui en donner un. Et alors ? Quoi ? Qu'est-ce qu'il a fait ?

— ...

— Tu dis qu'il s'est emparé de la salière et qu'il a

tout salé : café, comptoir, plancher, paletot, pantalon, intérieurs des poches, et avec de grands gestes de générosité. Bon. Pourquoi pleures-tu ? Il était ivre. Bon. Et alors ?

— ...

— Écoute ! Tu renifles tellement que je ne comprends rien. Tu dis que tu ne veux pas que ce soit Noël parce que quand il a sorti un mégot de sa poche et qu'il l'a allumé, ta gorge s'est serrée. C'est ça ?

— ...

— Tu me dis de cesser de hurler comme ça dans le téléphone. C'est ça ?

— Oui, c'est ça, je te prie de cesser de hurler et de répéter mot pour mot tout ce que je dis, gémit Bea. Alors, il s'est levé. Il a promené son regard autour de lui, un pauvre regard cherchant à prendre contact avec la réalité des formes et n'y parvenant pas.

— Ah ! je vois la scène. Comment tu t'es apitoyée. Comment ton âme s'est déchirée quand tes yeux ont croisé ses yeux. Tu y as lu l'appel désespéré des grands noyés de l'histoire du monde. Tu as voulu voler à son secours, le cajoler, l'aimer, le COMPRENDRE, n'est-ce pas ?

— Il s'est excusé à la ronde. Il a dit qu'il devait s'absenter un moment et qu'il reviendrait. Il nous a promis qu'il reviendrait. De ne pas nous inquiéter. Il a ajusté son foulard de soie taché, il a fait quelques pas à travers les valises, oh ! chéri, de grands pas qui ne voulaient pas tituber. Tu sais, de grands pas comme dans le noir quand on craint de rater la marche ou quand on croit qu'il y a la chatte.

— Bea, te rends-tu compte de la patience qu'il me faut pour écouter cette histoire invraisemblable au téléphone alors que tu devrais être ici avec moi et que j'entends les bouchons de champagne taper le plafond ?

— Je suis désolée. Va les rejoindre, chéri.

— Tu dis « va les rejoindre chéri ! » Alors que je suis en train de comprendre pourquoi toi tu ne viens pas me rejoindre. Continue.

— Mais je ne veux pas gâcher ton plaisir...

— ...

— Bon. Alors l'homme s'est arrêté, il a repris son souffle, il a obliqué et il est parvenu au téléphone sans trébucher, très dignement. Tu entends ? Très dignement. Il a sorti un vieux carton d'allumettes de la poche de sa chemise, et un dix sous de la poche de son paletot.

— Un vieux dix sous sans doute.

— Oui, un vieux dix sous tout usé.

— Tu ne pouvais plus voir le bateau sur ce dix sous.

— C'est ça, et il a déposé le dix sous dans la fente des vingt-cinq sous et il essayait de composer le numéro qu'il n'arrivait pas à déchiffrer. C'était horrible.

— Et tu restais figée sur ton tabouret, et tu n'es pas allée l'aider, et tu l'as regardé tourner désespérément son bout de carton dans tous les sens, je vois la scène, je la vois.

— J'avais peur, chéri, j'avais peur.

— Bea, la nuit de Noël, tous les hommes sont frères ! De quoi avais-tu peur ?

— ...

— Eh bien, je vais te le dire, moi, ce qui te faisait si peur. Tu craignais sa reconnaissance. Tu craignais que de gratitude il ne te relève la jupe ou qu'il ne te tâte les seins. Tu craignais de voir s'évanouir ton enivrante pitié en respirant l'haleine de ce beau saoûlon. Dis-moi que je me trompe maintenant, dis-moi que je fais fausse routc.

— ...

— Bea... tu es là ?

— Il a haussé les épaules, plusieurs fois, il n'a pas récupéré sa monnaie. Il a fait un tour sur lui-même et il est revenu au comptoir avec cette même démarche que je t'ai dit tout à l'heure, en obliquant à travers les valises. Il ne s'est pas rassis. Avec un politesse extraordinaire, tu sais, il s'est excusé de devoir partir. Il a dit qu'il ne pouvait malheureusement pas passer Noël avec nous. Il a dit à voix haute et sans bafouiller que tout cela était imprévisible et qu'il était désolé de n'avoir pas prévu. Il nous a souhaité une bonne et sainte année. Et le pire, oh chéri, le pire, c'est qu'il nous a bénis. Tu entends ? Il nous a bénis.

— ...

— Chéri ? Tu es toujours là ?

— Et tu aurais voulu l'adopter, l'emmener, l'embrasser. Tu trouvais, comme Jésus sans doute, qu'il le méritait bien. N'est-ce pas Bea ?

— Oh, chéri, mais je ne POUVAIS pas. C'est horrible.

— Et alors, continue.

— Mais c'est tout, c'est tout. Je n'ai plus la force de fêter. C'est trop horrible.

— C'est tout ? BEA ! Tu es ridicule. Ce n'est pas pour une histoire comme celle-là que tu vas gâcher toute ma nuit de Noël, mon réveillon et tout mon plaisir ?

— Écoute mon chéri, je vais raccrocher, je suis ridicule et j'ai trop de peine et je m'en veux trop. Je suis sûre que tu peux t'amuser sans moi. Si tu veux hurler, tu hurleras demain quand tu viendras, chéri, pardonne-moi.

Bea raccrocha. Elle s'enfouit sous les couvertures et elle chuchota en réprimant un fou rire :

— Joyeux Noël, vieux saoûlon !

L'Esprit d'observation

L'homme est sérieux. Il m'a mis la carte de l'Ohio entre les mains et il m'a dit :

— Si tu fais une erreur, une seule, je te fais descendre. On est copilote ou on ne l'est pas.

Les autoroutes se croisent, se déroulent, s'enroulent en ronds-points. Tout est bien numéroté. Au fond, ça me serait égal qu'il me fasse descendre. Je n'ai pas de bagages.

On entre dans Cleveland. Il est cinq heures du soir. Il choisit le motel. Il s'installe. Il se douche. Il est grand, très velu, très brun. Il ouvre la télé. Il commande un repas à la chambre. Il mange. Il boit son thé. il regarde la télé. Les nouvelles, le film, voilà, il va m'apercevoir. Ça y est, il m'a aperçue.

— Bonsoir, qu'il dit.

Il sourit en faisant semblant de perdre son sérieux. Il tend un bras et sa main découvre mon oreille.

— Tu as de jolies oreilles.

Je fonctionne comme une télé. Il le sait, il ajuste le poste pour être juste à son aise. Son sexe est long, mince comme lui mais pas velu. Mais ça m'est égal aussi. Il se méfie. Il dit qu'il se méfie de toutes les femmes. C'est pour ça qu'il m'éjacule sur le ventre. Je m'essuie. Il est sérieux. Il dort. Il rêve un peu. Il se lève pour aller pisser. Il se rendort. On se réveille. Il se rase. Il se douche. Il s'essuie. Il remarque que je suis là.

— Bonjour, qu'il dit.

Il boucle ses valises. Il les porte à la voiture. Je vais régler la note. Il me met la carte de l'Ohio sur les genoux.

— Si tu te trompes, je te fais descendre.

Je ne me trompe pas. L'aéroport. Je descends de la voiture. Je ferme la portière. Je monte dans l'avion. Je m'assieds à côté d'un homme d'affaires qui boit du scotch en lisant le *Times*. Il m'aperçoit. Il fait semblant de perdre son sérieux.

— *Good morning,* qu'il dit.

J'en ai marre. J'ai hâte qu'on s'envole. Je lui dis que *sorry I don't speak English.* Et l'avion décolle.

— *You're kidding !*

Pas du tout.

L'autre roule toute la journée. Le soir, il choisit le motel. Il se douche. Il mange. Il regarde la télé. Les nouvelles, le film, puis il remarque que je ne suis pas là.

Le Gong chinois du IVe siècle

Le maître d'hôtel de la salle à manger Pierre de Coubertin nous pria d'attendre un moment et nous assura qu'il y aurait une table libre pour nous dans quelques instants. Il déplora que nous n'ayons pas songé à réserver.

Cette chère vieille Isabelle plongea tête baissée dans une série d'excuses, expliquant comment nous nous étions rencontrés, son mari et elle, mon mari et moi, tout à fait par hasard, et que, vieux amis, nous avions décidé, comme ça, spontanément et à vrai dire un peu à la légère, de souper ensemble et que nous avions pris ce risque de nous rendre ici sans faire de réservation et si le maître d'hôtel et si le propriétaire de cet hôtel et si le chef des cuisines voulaient bien nous accepter malgré notre omission impardonnable, nous leur témoignerions une reconnaissance éternelle, rien de moins qu'éternelle, chère vieille Isabelle.

Je voyais déjà venir le moment où Isabelle se confondrait en excuses auprès du sommelier parce que je commanderais du vin rouge pour accompagner une patte de crabe d'Alaska.

Le maître d'hôtel prêtait une oreille polie aux propos de cette chère vieille Isabelle, tout en passant un index exaspéré entre son col empesé et son cou irrité, et tout en faisant mine de devoir consulter son cahier des réservations.

L'homme se faisait du souci, c'était clair. Je voulus le distraire un moment. Je lui dis :

— C'est un faux-col ? et je détournai aussitôt les yeux vers un objet qui trônait sur une crédence liturgique adossée à un papier peint exhalant des prétentions orientales.

— Non, madame, c'est un gong chinois très vieux.

— Très très, très vieux sans doute, et je fixais maintenant la crédence.

— Il date du IVe siècle.

— Était-ce avant Jésus-Christ ?

L'homme me regarda pour de vrai, tenta une fois de plus d'étirer son col, pendant que je remplissais mon regard de tout ce qui peut vouloir dire « écoutez, ne travaillez donc pas si fort, une deux, détendez votre moelle épinière, FAITES COMME CHEZ VOUS, même si nous sommes visiblement en pays étranger, en nature étrangère, n'auriez-vous pas par hasard envie d'une bonne Cinquante, non, ce n'est pas votre sorte, alors que diriez-vous d'une grosse *Mol ?* »

Isabelle, cette chère vieille, son mari et mon mari, s'étaient lancés dans une conversation sérieuse sur l'art oriental, je ne sais ce qui les avait poussés dans cette direction, mais le papier peint me semblait avoir radicalement à faire avec cette histoire.

Le maître d'hôtel fit quelques pas vers moi, perdit une quantité appréciable de son surmoi, baissa le ton, et, complice, me glissa :

— Entre vous et moi, un vieux gong, chinois ou

non, c'est toujours un vieux gong, si vous voyez ce que je veux dire.

— D'accord avec vous, ma gaine me fait mourir.

L'homme eut alors ce geste sublime et grossier de porter non son index mais son majeur à son col qui l'égorgeait, tout en fixant le tapis, oriental lui aussi mais non volant, il faut bien le dire, malgré le faste de cet hôtel, le tapis n'était pas volant. Puis il se détourna.

Le maître d'hôtel de la salle à manger Pierre de Coubertin se redressa, regarda au-dessus de nos têtes et annonça :

— Si ces messieurs-dames veulent bien me suivre.

En le suivant, je remarquai que ses chaussures avaient été fort bien astiquées sauf en un endroit des deux talons, comme si la personne qui avait ciré ces chaussures les avait chaussées pour le faire ; comme si cette personne n'avait pas réussi à s'étirer assez pour appliquer la cire au tournant des talons, ou alors, comme si elle avait craint de ne salir le plancher sur lequel elle avait dû accomplir sa tâche, n'ayant pas recouvert ledit plancher d'un journal protecteur. Je me gardai bien d'en faire la remarque à Isabelle. C'eut été de la subversion pure et simple, pour elle et pour son mari et pour le mien, car c'eut été remettre en question cette évidence que le maître d'hôtel avait des connaissances en art chinois du IVe siècle, et que nous nous apprêtions à bouffer comme des riches alors que déjà le mari d'Isabelle et le mien étaient en train de se disputer intérieurement l'addition.

L'Amande

Des givres bourgeonnent aux flancs des maisons closes. Dans la nuit pavoisée de rubans et de rythmes, on joue, à mes tables, au cœur et à l'argent en grignotant l'amuse-gueule. Tous mes mâles sont là et eux seuls. On flotte et on folâtre à des niveaux divers de quiétude, on frôle la lèvre de l'un ou la langue de l'autre, au gré du déguisement et du travail des masques.

Les nuques sont humides, on a à boire, on fume des haleines. Un poisson sur le ventre nage dans les rétines. La poupée de flanelle dérive vers le feu. Tout au fond de l'âtre, les tresses du jeune juif ornent la suie étale sur l'aile sans projet.

Le roi mâle pèse ses paroles et tente de pactiser avec les consciences.

— Vous avez, dit-il, peur des mots et qu'ils vous apprivoisent. Vous vous tenez très loin de l'archange ébloui et toujours vous rompez sa cadence. Vous tenez en respect le concierge chargé du secret de la voûte.

— Vous avez, dit-il, peur des mots et pourtant vous en dites, vous dites les plus sûrs pendant que vos pieds cherchent à agripper un sol évanoui depuis longtemps. La gravité vous terrorise. Pour la contrer, vous abusez de sourires allusifs où notre fête s'épuise.

« Le roi divague », marmonnent mes élus. Et pour ne pas le lui dire et pour rester polis, ils se plient des avions avec les pages de mes livres, ils jouent à se distraire en les faisant voler jusqu'à ce qu'ils fondent dans l'âtre, enflammés.

Le roi mâle m'ordonne alors d'aller chercher l'enfant et de le faire paraître. Je sors de la pièce et je pénètre dans la chambre d'air où dort cet enfant de vingt ans qu'il faudra faire paraître. Qu'il est beau, et il dort simplement enlacé à ses draps et son front lumineux n'est pas agité par l'insoluble question. Je le soulève et je le porte dans mes bras. Il ne pèse pas plus lourd qu'une brassée de lilas. Sa paupière bleue contient l'amande. Du frimas frémit doucement sur ses lèvres sans issue. Et je le fais paraître.

L'enfant s'éveille. Il ouvre ses cadeaux. Ses bras souriants distribuent des caresses. Sa poitrine distille un lait très fin. Son ventre est constellé de graffitis comme un pan de toilette d'homme. Il offre tendrement sa hanche à la surprise. Il s'éprend de chacun, chacun en est épris. Chacun se dénoue, chacun suit cet enfant qui fait signe à chacun de le suivre. Un étrange cortège emboîte le pas léger qui circule à travers la maison close et qui mène sa parade souple. Chacun encore s'allège d'écailles ou de gants pendant qu'un petit matin mou crayonne l'horizon, colore les délires du givre où bourdonne un essaim de guêpes grises.

L'enfant s'arrête enfin devant l'âtre. Sa paupière nous fait bien voir l'amande dont le parfum subtil balance dans la pièce. Puis il tend son corps au feu, d'abord ses mains, et la poitrine, et c'est rapide comme lorsqu'un journal flambe.

On consulte sa montre. « On ne va pas rester ainsi médusés jusqu'à toujours ! », s'écrie l'un d'eux d'une voix fausse et mal rétablie. Comme à regret, chacun tente de retrouver ses écailles et ses gants, comme les joueurs professionnels après une bataille. Le roi mâle remercie au nom de tous et ils s'en vont de leur pas quotidien, frissonnant dans le petit matin.

Je reçois ce matin une carte. Ma chère, peut-on y lire, vous êtes la reine des illusionnistes et le maquillage de votre enfant était impeccable. Quant au truc du feu, je renonce à le comprendre et je vous crois sorcière. À quand la prochaine virée. Je vous embrasse. Le roi mâle.

6550

J'ai trouvé une place pour garer juste en face. Ça simplifie les choses car les choses ne sont pas simples. J'ai dévisagé le 6550, je voulais repérer sa fenêtre, mais à vingt étages, il faut calculer, compter à partir d'en bas, lui, il habite au seizième. Le problème, c'est qu'on ne sait jamais si le rez-de-chaussée compte pour le premier étage ou si c'est le premier qui s'appelle le rez-de-chaussée. En plus, quand on compte visuellement, on n'est jamais sûr de ne pas avoir sauté un étage. Évidemment, on peut toujours compter à rebours en commençant par en haut, mais on ne sait pas vraiment où commence le vingtième parce qu'il y a souvent l'étage de la piscine ou l'étage des machines, on ne sait jamais trop.

En tout cas, j'ai fini ma cigarette, j'ai mis mes gants, j'ai attaché mon manteau et je suis sortie de la voiture. Je l'ai fermée à clef, on ne sait jamais, même si j'ai une petite voiture finie et toute cabossée, on ne sait jamais, on ne sait pas grand-chose.

C'est sûr que j'aurais dû téléphoner avant de me rendre jusqu'ici, juste en face de chez lui. Mais ce n'est pas toujours si simple que ça, un simple coup de ône. Parce que je ne veux pas nécessairement que n *chum* sache toujours où je vais, c'est pas parce que c'est mon *chum* que je suis obligée de lui dire tout ce que je fais. Quand il est à la maison, même s'il est couché et qu'il dort sur ses deux oreilles, on ne sait jamais, il pourrait se lever pour aller pisser ou quelque chose comme ça et il m'entendrait parler à quelqu'un et il dirait qui c'est au téléphone. C'est pas parce qu'il est particulièrement jaloux ou qu'il veut me contrôler ou quoi que ce soit du genre, pas du tout, on n'est pas comme ça possessif et tout nous deux, non, il demanderait ça par habitude, il fait toujours ça. Et comme je trouve que ça serait parfaitement inutile qu'il sache le nom de Mike parce que ça ne lui dirait rien et que forcément et toujours par habitude il demanderait qui c'est celui-là et que forcément je lui dirais que c'est personne vu que c'est vraiment personne pour lui, ça se compliquerait parce que les choses sont compliquées et moi j'aime bien les simplifier, les choses. Même si ça me complique un peu la vie, ça ne fait rien, je préfère la vie compliquée aux choses compliquées.

Mais j'aurais pu téléphoner de la cabine téléphonique de la pharmacie au coin de la rue. Oui, mais le concierge est toujours là en train de jaser et il est gentil, il veut toujours m'aider en quelque chose, n'importe quoi, il le ferait pour moi. Et s'il me voyait en train de téléphoner de la pharmacie du coin, il me demanderait immanquablement si mon téléphone est en dérangement et s'il peut faire quelque chose, n'importe quoi. Finalement, c'est plus pratique d'aller téléphoner un peu plus loin. Alors, je monte dans ma voiture, c'est toujours comme ça, et une fois que je suis installée dans la voiture et que j'ai chaud enfin et que ma ceinture est bouclée et que mon manteau est bien tiré en

paranoid – trop pensif

dessous de moi pour ne pas faire de faux plis, je n'ai pas envie d'en redescendre pour aller téléphoner parce qu'après tout est à recommencer.

De toute façon, j'étais rendue. En tout cas, rendue sur le trottoir, j'ai vérifié dans mon sac pour voir si j'avais apporté mon carnet d'adresses parce que ça m'arrive plus souvent qu'autrement de l'oublier et là c'est toute une histoire pour me souvenir du numéro de l'appartement parce qu'il a quatre chifres, le numéro de son appartement. Je l'avais, mon carnet. Il y a un restaurant *Murray's* juste en bas du 6550. Une chance, c'est pratique pour toutes sortes de raisons. Je me suis approchée de la vitrine du restaurant dans laquelle il y a des dessins de ce qu'il y a à manger dans le restaurant, et j'ai cherché à la lettre N pour voir si Mike y était. Je devrais vraiment me donner une ligne de conduite en ce qui concerne mon carnet d'adresses, et m'y tenir parce que la manière que j'ai de noter soit les noms, soit les prénoms me fait perdre un temps fou. Quand je cherche le numéro de Julie, par exemple, c'est fou le temps que je peux perdre. Parce que Julie, elle s'appelait Julie Chavarie-Mathieu. Puis, elle s'est divorcée. Puis, elle s'est remariée et elle s'appelle Julie Chavarie-Bourdais. Avec tous ces changements, comment voulez-vous que je m'y retrouve, moi, dans mon carnet.

En tout cas, Mike n'est pas à N dans mon carnet, il est à M. J'ai mis mon index dans la page pour ne pas avoir à recommencer une fois que je serais devant l'immense tableau avec tous les noms et tout, il y en a du monde au 6550.

J'ai tiré la porte du 6550. J'ai consulté mon carnet. Le 1614, c'est son numéro d'appartement. J'ai failli sonner puis je me suis dit que ça ne se faisait pas. J'ai reculé un peu pour prendre une décision. Non, c'est vrai, ça ne se fait pas. Tout le monde a sa vie privée. Tu ne peux pas arriver en criant lapin chez n'importe qui à n'importe quelle heure n'importe quel soir de la semaine même si tu as eu une relation dite intime avec ce n'importe qui. On ne sait jamais. On peut détruire sa vie pour toujours avec des surprises comme celle-là. Il y a des choses qui sont très chatouilleuses dans la vie, et la vie est assez compliquée comme ça sans que je me mette de la partie pour compliquer la vie des autres, la vie des autres, c'est encore la vie après tout. Alors je suis ressortie et j'ai croisé un vieux couple qui trottinait sur le trottoir glacé, ça n'aurait pas dû sortir, ces vieux-là, par un temps pareil, ce n'est pas humain qu'ils aient eu à sortir ce soir-là, il devait y avoir une urgence et les urgences, ça n'attend pas.

En tout cas, je suis entrée au restaurant *Murray's* parce que je me disais qu'il y avait sans doute un téléphone public soit au fond du restaurant, soit dans l'entrée. Il y avait deux téléphones publics dans l'entrée. Si j'avais pu les voir de la rue ou du trottoir, je n'aurais pas hésité à téléphoner à Mike avant d'entrer au 6550. Il n'était pas trop tard et justement il y avait un des deux appareils qui était libre, l'autre était occupé par un vieil homme, il n'y avait pas de doute, il n'était pas là pour cacher quelque chose à sa femme ou quoi que ce soit, il faisait un appel bien ordinaire sans cachette, ouvert, et tout, il parlait assez fort, pas trop, mais juste assez pour que personne n'entende ce que moi je me préparais à dire à Mike et ça faisait mon affaire. Alors j'ai composé le numéro de Mike que je tenais dans ma main depuis vous savez quand et j'ai raccroché très vite, avant que ça sonne à l'autre bout. Le cœur me débattait parce que je ne savais plus ce que je voulais lui dire et comment lui annoncer ma venue et s'il fallait que je fasse semblant d'être plus loin et laisser passer peut-être vingt minutes entre le téléphone et la sonnerie en bas.

Pour me calmer un peu, j'ai commandé un café, le café énerve en général, mais il calme en particulier, on le voit bien chez beaucoup de personnes, ce phénomène-là. Et une brioche, question de respirer et de prendre une décision finale. Je me suis dit de deux choses l'une : ou il regarde la télé ou il bricole. Bricoler, ça veut dire tout ce qui n'est pas regarder la télé, tout le reste. Et vous ne connaissez pas Mike, mais il y a juste deux façons pour lui de ne pas s'ennuyer, il est vraiment grave ce gars-là, c'est seulement quand il travaille à l'Institut de recherches ou quand il baise qu'il ne s'ennuie pas. Et quand il baise, il décroche le téléphone, et quand il est à l'Institut, il n'est pas chez lui. Quand j'ai eu pensé à tout ça et grignoté ma brioche, j'étais beaucoup plus calme. Je savais que je ne risquais rien à lui téléphoner et que s'il répondait de toute façon ce serait un signe qu'il était en train de s'ennuyer. Je me suis levée et je suis allée composer à nouveau le numéro du carnet.

Ç'a répondu. C'était lui, c'était bien lui à cause de la voix métallique que je reconnaissais. Il a eu l'intonation de la surprise et quand il est surpris, sa voix monte d'un cran dans le métal. Je lui ai demandé si je le dérangeais, je demande toujours ça quoi que j'en pense. Il m'a répondu que je ne le dérangeais pas du tout, qu'il était en train de s'ennuyer en regardant la télé et il m'a demandé où j'étais et d'où je l'appelais et tout. Je lui ai répondu que j'étais chez moi, c'était une menterie, je ne pouvais pas faire autrement, si je lui avais dit que j'étais en bas il aurait cru que je l'obligeais à me recevoir et s'il y a une chose que je ne peux pas faire, c'est obliger quelqu'un à me recevoir, je ne peux pas. Je n'ai pas encore analysé ça dans ma personnalité mais j'y viendrai certainement un jour, on y vient toujours.

Mike m'a demandé si je venais faire un tour. Il ne m'a pas demandé de venir faire un tour, il m'a demandé si. Autrement dit, il ne voulait pas s'impliquer dans la décision que j'aille faire un tour ou non. Mike est comme ça, il n'aime pas influencer les gens. Il ne dit pas que ça lui ferait plaisir ou qu'il aimerait ou qu'il a besoin. Ça touche son indépendance, c'est une espèce de principe qu'il a suivi depuis toujours et il n'est pas question qu'il en change vu qu'il a toujours été comme ça et qu'il n'aime pas essayer d'autres principes en général parce qu'il trouve que les principes il faut une bonne raison pour en changer, surtout quand ça touche la question de l'indépendance d'un individu qui a une longévité moyenne de soixante ans.

J'étais faite à ce trait personnel de Mike. Ça ne veut pas dire que je n'étais pas troublée par ce trait personnel ni que ça ne me dérangeait pas du tout, au contraire. Mais je passais par dessus. Je passe par dessus bien des choses, c'est une manière que j'ai de les simplifier.

Pour le moment, je me voyais déjà là-haut. Je voyais Mike fouiller à travers mon manteau parce qu'il faudrait s'exciter très vite parce qu'on n'aurait pas beaucoup de temps vu que Mike a besoin de son repos pour son travail à l'Institut de recherches vu que c'est avec le repos qu'on recherche, c'est ce qu'il m'a dit.

— Tu viens, ou non ?

C'est clair, ce genre de questions. À mon avis, ce n'est pas invitant. J'en ai déjà discuté avec d'autres. Avec Pierre par exemple. Pierre trouvait que c'était tout aussi invitant que n'importe quelle autre formule.

À mes côtés, un grand paletot gris s'est mis à composer un numéro. Je ne sais pas ce que ça m'a fait, la vue de ce paletot gris et inerte composant un numéro, en tout cas, j'ai dit à Mike que je l'appelais rien que comme ça, rien que pour entendre sa voix, vu qu'il faisait si froid dehors et que je me sentais seule, mais en réalité, je n'avais pas du tout l'intention de sortir, je lui ai dit ça. Il a dit que ce serait pour une autre fois. On s'est souhaité bonne nuit avec une voix de sous-entendus qu'on se souvenait comment c'était quand on couchait ensemble et que ce serait bon quand on le referait une autre fois, quand ça adonnerait. Les adons, c'est la bénédiction de ce genre de liaisons que j'ai avec certains hommes de profession.

J'ai couru à ma voiture, le vent me saisissait par tous mes bords. J'ai fermé ma portière, je l'ai même barrée pour que le vent reste embarré dehors et moi en-dedans. J'ai fait partir mon moteur et la chaufferette. Quand il a fait assez chaud, j'ai déboutonné mon manteau. Je n'avais pas envie de rentrer. Je voyais les feux de circulation je les comptais. J'ai attendu d'avoir envie de rentrer. J'étais à l'abri du vent. Mon réservoir d'essence était encore presque plein. J'avais tout mon temps, ça, je l'avais vraiment, tout mon temps.

Les Scampis

Il est beau depuis très longtemps, je l'ai trouvé beau aussitôt avec un air de frais chié, cette langue très rouge, cette moquerie perpétuelle aux commissures. Il y a bien huit ans que le hasard nous fait le coup de ne pas nous trouver seuls, moi toujours avec un amant, lui toujours avec celle-ci ou avec une autre, ne nous frôlant toujours qu'en coulisse ou sur la scène à l'occasion d'un rôle.

— Qu'est-ce que tu vas prendre ? me dit-il.

— Choisis.

Je déteste choisir surtout quand on m'invite. Après tout, ce n'est pas moi qui paie et comment savoir combien on peut se payer quand c'est un autre qui paie.

— Des scampis ?

Je ne sais pas. Le goût ne me revient pas. Et il me met ses lèvres sous le nez, comment pourrais-je parvenir au souvenir du goût des scampis, ses lèvres, là, moqueuses et juteuses, garçon, servez-les-moi.

— Des scampis... des scampis... oui, des scampis!

Il commande des scampis. Vin blanc, vin rouge ? Ça m'est égal, parfaitement égal, je n'ai que sa langue en langue. Il décide :

— Du rosé.

Il est plus beau que jamais, il porte une chemise de toile indienne blanche sur un pantalon de toile coquille d'œuf. Il est bronzé, la nuit est chaude. Il n'était pas libre avant minuit, le restaurant est vide.

— Tu es beau.

Ça le fait rire, ça fait entrer des gens qui sont joyeux dans le restaurant. Bleu, son regard est immensément bleu, ironique. Sa bouche, c'est une gueule, vous auriez dû le voir dans le rôle du maire, il y a longtemps, sur une autre rue, dans une autre ville.

— Tu es beau et cabotin.

Ça aussi, ça l'amuse. Il me regarde sous tous mes angles. Il va finir par demander au garçon de bouger l'éclairage pour mieux me voir. Il se penche vers moi, tiens, il y a du noir dans le bleu. Je me mets à remarquer ses mains. Bistres, nerveuses, et les ongles sont taillés courts.

— Ils sont froids.

— Qui ?

— Les scampis.

— Je me désole.

Il fait un air de clown. La bouche est un rectangle triste. Une larme part de l'œil et mouille le tapis rouge après avoir glissé sur la banquette de cuir. Nos cheveux se frôlent, nos rires s'étreignent, ça nous surprend. On se dit pas si vite, et tout de même, on n'est pas si pressé. Il recule et réajuste la serviette avec une dignité qu'il emprunte à la technique théâtrale. Je n'y arriverai jamais, aux scampis. Quelle idée, des scampis à une heure du matin, devant ces dents blanches. Il ricane, il se désespère, il m'embrasse, le rosé, non, je n'ai plus soif. Le garçon fait l'addition d'un air compréhensif. S'il est comme moi, il en a vu d'autres.

Nous voilà sur le trottoir chaud et perdu la boussole. Je vois son œil de si près et c'est bleu comme en plein jour avec une fêlure, tiens, je n'avais pas remarqué cette fêlure dans l'œil de porcelaine, est-ce que ça peut se casser, est-ce que des éclats pourraient m'atteindre, est-ce que je risque quelque chose ? Soudain, il y a trop de gens dans la nuit chaude du *down town,* j'étouffe.

C'est ça, je manque d'air, lui se colle à moi, et ça sent l'essence du *Texaco* et l'huile à moteur. La plante de mes pieds brûle sur le cuir de mes sandales et ses mains à lui supplient ma tête, il chuchote quelque chose dans ma tête, une voiture passe et couvre le chuchotement. Il s'éclaircit la gorge, lui.

Oui, c'est vrai, voilà que le hasard nous veut enfin. Mais il est si brûlant, ce hasard, que je suis en train de m'évaporer lentement, que je vais finir par passer pour une belle allumeuse, et ce n'est pas bien, il ne faut pas faire ça, chose, il ne faut pas, les gars en général et les filles en particulier n'aiment pas ça, c'est contre l'éthique de la profession. Et ce n'est pas la première fois que ça m'arrive, j'aurais dû analyser ça plus en profondeur pour au moins savoir quoi dire, pour au moins présenter ça d'une manière rationnelle, je vois ce que je veux dire. Il dit que je divague, il a raison, après tout, c'est lui qui s'est fendu pour les scampis, j'admets ça. Il est si tard cependant et voilà je lui glisse des mains malgré moi. Le soleil va se lever, une petite brume de rien du tout s'agite sur le canal ou c'est une vision de moi m'évaporant. Ce n'est pas grave, ça ne fait pas mal. C'est bon. Ça fait du bien.

Brève rencontre
(sans Rachmaninov)

Je n'avais pas remarqué ça dans l'avion et maintement ça m'excite. Il a des yeux de chat. Quand il parle, ses traits ne bougent presque pas. Lui non plus, il n'était pas attendu. Nous avons décidé de monter ici prendre un verre, nous sommes un peu fatigués par le décalage. Je passerais bien la nuit ici à regarder les feux se balader sur la piste.

Il m'a demandé si je voulais que nous prenions une chambre au Hilton ici vu que nous n'avons personne. Il a dit qu'il me trouvait belle, très belle. Il ne sait pas si le bar ferme ni à quelle heure et nous n'avons pas envie de le demander au garçon. Je me dis que je ne bougerai jamais plus et que quelqu'un devra me transporter jusqu'au taxi.

— Tu es contente de ton voyage ?

— À Lille, il faisait très beau. Je suis allée au musée.

Il passe son bras autour de mon épaule. C'est bon. Un avion décolle. Je vais passer tout le reste de ma vie ici, je ne bougerai plus jamais d'ici. Ses mains sont étonnantes, je ne m'attendais pas à ça, c'est comme un chat à griffes rentrées. Dans mon cou, c'est chaud. Il me chuchote des questions dans les oreilles, c'est surtout pour la caresse, pour faire chaud dans les oreilles.

— Pourquoi la France ?

— J'avais rendez-vous.

— Amour ?

— Il y avait beaucoup de monde.

Il fait faire une promenade à sa main dans mon dos. Nous prenons une petite gorgée de *Courvoisier* et ça développe assez de chaleur pour qu'un autre avion décolle de la piste.

— Tu penses au voyage ?

Ça me chatouille dans l'oreille, je voudrais m'endormir avec ça. Ça me berce. Je vais pondre un petit coco pour moi-même qui vais faire dodo dodiche dodo.

— Tu habites seule ?

Je ne sais jamais d'avance si j'habite seule. Parfois il y avait quelqu'un d'autre et je pense que ça pourrait se répéter et qu'il revienne. Puisqu'il ne m'a jamais remis définitivement les clefs et s'il ne les a pas perdues, je ne suis pas tout à fait sûre de vivre seule.

— Je ne sais jamais d'avance.

Sa main s'est arrêtée de bouger. Je voudrais qu'il pense à ma nuque avant que nous rentrions. Je sais que je vais devoir rentrer. Il faut bien rentrer un moment donné. Je vais me ramasser et je vais rentrer.

— Il faut que je rentre.

— Je peux t'accompagner jusque chez toi.

Nous n'avons pas de bagages. Nous pouvons flotter à travers l'aéroport. Nous passons devant les boutiques où je flâne d'habitude quand je suis toute seule avant les départs. J'ai les yeux qui se ferment tout seuls. On est bien.

— On serait bien au *Hilton.*

Oui, on serait bien. Il ne desserre pas son étreinte sur mes épaules et nous descendons et nous sortons dehors. Il y a juste le vent que j'aime qui glisse sur mon visage. Nous montons dans un taxi. Je vais m'endormir parce qu'il embrasse mon front et parce que tout est tiède et m'effleure. Côte-de-Liesse, Décarie, Queen Mary, je reconnais. Je n'ai pas envie de descendre du taxi qui sent le mauvais désodorisant.

On s'en remet au hasard, le hasard fait bien les choses, c'est la réputation qu'on lui a fait. Il m'embrasse légèrement la bouche et je suis déjà sur un trottoir qui fait peut-être suite à tous les trottoirs des autres villes des autres continents.

Je monte l'escalier en reconnaissant la forme de la rampe. Mes clefs sont au fond de mon sac comme d'habitude. Je pénètre dans l'appartement, j'allume le plafonnier de l'entrée, je pose mon sac sur le bahut, je fais le tour des pièces, je vérifie la forme des lits dans les deux chambres. Non, j'habite seule. Oui, j'habite seule.

Une journée de riche

Aline s'est décidée à ouvrir les yeux. Elle n'avait aucune espèce d'idée de l'heure mais par les sons qui circulaient dans la maison et qui parvenaient à la petite chambre du sous-sol, elle savait que la journée était largement entamée pour à peu près tout le monde. La musique thème de *Bobino* a fait son chemin à travers le plafond, quatre heures. Aline a grogné de joie. Y avait-il quelqu'un qui venait comme elle de s'éveiller et pour qui quatre heures ne signifiait qu'un creux délicieux sous une épaisse peau de mouton blanche, c'était peu probable et Aline sentait que sa bonne humeur augmentait, qu'elle avait une chance inouïe, et elle a été prise de pitié pour le reste du monde.

La tête soulevée sur son coude, elle examinait sa chambre. Sur la grande planche jaune qu'elle avait aménagée en table de travail, il y avait un fouillis de crayons, de pots de toutes les couleurs, des cahiers, des feuilles éparses et des photos, des piles de photos. Aline riait doucement et elle s'est dit sévèrement qu'elle devait être sérieuse, que le barda sur sa table lui commandait des heures de travail et qu'il fallait travailler pour vivre. Elle a soupiré et elle a ri et elle a enfoui son rire dans l'oreiller tiède. Que c'était bon !

Puis, elle s'est rappelé, elle était riche aujourd'hui. Elle avait huit dollars, une fortune. Elle pouvait se permettre des milliers de choses. Assise dans son lit, elle étirait ses bras vers le plafond, elle reconnaissait ses mains, elle bâillait de contentement. Elle a tiré à elle son jeans de velours râpé et son chandail à grosses mailles pour les enfiler sous le drap de façon à ne pas perdre de chaleur. Elle s'est levée.

C'était merveilleux. Elle pouvait aller au cinéma, se payer un *pop corn* et un *coke*. Le téléphone a sonné, c'était Lucien, excité, qui proposait un contrat. Un couturier avait besoin d'un photographe pour la présentation de ses créations du printemps, est-ce qu'Aline était intéressée.

— Alors, dit Lucien, tu dors ou tu m'écoutes ?

Aline lui a dit qu'elle l'écoutait très attentivement mais qu'elle n'était pas tout à fait revenue du sommeil et qu'elle se sentait trop riche ce jour-là pour donner une réponse. Lucien a soupiré, il a expliqué à Aline qu'elle n'arriverait jamais nulle part si elle persistait à ne rien prendre au sérieux et au moment où ça s'offrait. Aline a répondu qu'elle était tout à fait d'accord avec l'opinion de Lucien et qu'elle se reprochait souvent son manque flagrant de maturité sous ce rapport mais qu'elle venait vraiment de se lever et qu'elle n'y pouvait rien, et s'il pouvait rappeler... Lucien a raccroché et Aline a mis le disque de *Deep Purple* qui était déjà sorti de sa pochette.

Elle risquait gros à ouvrir le rideau de jute noire qui masquait la lumière. Le ciel pouvait être blessant, il pouvait être grossier à son égard, Aline s'en méfiait, elle préférait le prendre de front, dehors, et non pas d'ici, de ce sous-sol. Elle a allumé sa lampe de travail et elle s'est versé un verre de jus d'orange. Elle ne gardait que du jus d'orange comme provision dans sa chambre. La plupart du temps elle était invitée à manger chez des amis. Elle n'était pas difficile, on avait beau dire. Elle examinait quelques-uns des négatifs qui traînaient sur sa table, ça pouvait attendre. Le journal du dernier samedi était ouvert à la page des spectacles, mais Aline préférait s'en remettre au bon goût des programmateurs du cinéma Outremont, elle irait là et elle aurait la surprise. Elle s'est dit qu'on avait beau la trouver capricieuse, non, elle n'était pas difficile.

Elle a mis ses bottes, elle a cherché ses clefs un peu partout. Elle s'est emmitoufflée et elle est montée. La rue était remplie de gens pressés de rentrer, des gens qui avaient fini leur journée, leur jeudi. Ils avaient pour tâche de remplir chaque journée de son matin à son soir et à considérer sa journée parfaitement vide, Aline se prenait d'envie de convertir le monde entier à son style de vie. Elle arrivait à Côte-des-Neiges.

L'air était humide, les trottoirs longeaient des bancs de neige crasseux, un ciel gonflé roulait d'un toit à l'autre. Aline se sentait invulnérable, elle était absorbée par un petit bonheur tenace qui la réchauffait du dedans et elle glissait à sa manière et par petits pas heureux d'une devanture à l'autre. La vitrine de la librairie Renaud-Bray était une vieille amie d'Aline, toujours pleine de nouveautés. Aline a décidé d'entrer bouquiner.

Elle ouvrait les gros livres, elle les palpait, elle les caressait, elle les félicitait. Les livres étaient des milliers de petits calorifères, Aline avait les mains chaudes et elle se sentait bien. Il y avait les autres clients qui passaient eux aussi d'un univers à l'autre à travers les pages feuilletées et qui faisaient des réserves de chaleur, sans doute, se disait Aline. Il ne lui venait pas à l'idée d'acheter quelque chose. Ça faisait déjà pas mal d'années qu'elle s'était habituée à profiter de tout ce qui s'offrait à elle sans y faire entrer la pensée de l'achat. Elle ne manquait de rien.

Pour se rendre au cinéma, il lui faudrait prendre deux autobus, le 165 et le 160. L'arrêt du 165 était à deux pas de la librairie mais il y avait une queue et le premier autobus, bondé, est passé sans s'arrêter. Aline a marché vers le prochain arrêt au coin de la rue Lacombe. Dans son manteau trop grand, dans son foulard trop long, elle se sentait aimée et comblée, un autre autobus arrivait, elle l'a laissé passer, elle a continué jusqu'à l'autre arrêt en face de la Société des alcools au coin d'Édouard-Montpetit. Elle n'avait pas envie au fond de prendre un autobus. Elle se disait que lorsqu'elle serait grande, elle serait très très riche, qu'elle aurait une voiture et un chauffeur, qu'elle aurait toute la banquette arrière pour elle toute seule, et qu'elle serait entourée de choses très rares, très belles et très étonnantes, et qu'elle ne finirait jamais de s'étonner de ces choses-là tout autour d'elle. Et elle voyagerait, elle passerait tout son temps dans cette voiture, et elle flânerait sur toute la terre et pas seulement sur un ou deux trottoirs. Parce que la lumière est trop crue dans les autobus, Aline n'aimait pas les autobus. Il n'y a pas grand-chose qu'Aline n'aimait pas et elle continuait à marcher vers l'arrêt suivant.

Il s'était mis à neiger et Aline a pris un taxi. Elle se disait « c'est la vie facile », elle avait toute la banquette arrière pour elle toute seule et le chauffeur allait là où Aline voulait aller.

Puis, elle s'est calée dans un fauteuil du cinéma et elle a savouré l'arrivée des autres qui entraient les

mains occupées par les *pop corn,* les gants,
nes, les tuques et les foulards. Les lumièr
éteintes et Aline a commencé à manger son *pop*
La première image illuminait l'écran. J'aime la vie, pensait Aline.

La Femme Lavoie

La fine aiguille du songe se ficha dans son œil. Il fut aveugle depuis lors et il ne put achever l'ourlet du manteau.

À présent, il sonnait aux portes, il présentait son certificat d'une main et il quêtait de l'autre, sa canne appuyée sur le chambranle des portes des maisons.

Personne n'avait sonné à la porte de la femme Lavoie depuis la dernière visite de l'inspecteur du Bien-être social. La femme Lavoie jugea l'aveugle présentable et elle le fit asseoir pour mieux le voir. Elle le contempla plusieurs jours logé nourri et plusieurs nuits sans mieux le voir. Enfin, l'aveugle exprima un désir.

— Je me souviens, dit-il à la femme Lavoie, de la lumière et j'ai cessé d'y croire. Cependant, je voudrais que vous me décriviez votre image avec toute la sincérité et la minutie de la pellicule photographique.

Après des heures et des heures, et ces heures tombaient dans les cadrans des stations de métro où d'autres gens se dirigeaient vers d'autres histoires, la femme Lavoie répondit.

— Il faudra, répondit-elle, que vous me secondiez

car je ne m'habitue pas à l'idée que la lumière doive son existence à la foi ou à la croyance.

L'aveugle soupira légèrement, et continuant de faire glisser sa canne dans le col de sa main, il expliqua.

— Pour une fois, expliqua-t-il, inventez-vous. Je vous en fournis l'occasion. Je ne repasserai pas.

La femme Lavoie se donna encore du temps. Elle ne se lassait pas de contempler l'aveugle, elle le trouvait de plus en plus réel et d'une grande beauté. Elle ne pouvait se résoudre à ne pas s'y voir. Le temps dissipa la surprise, l'étonnement muait et la femme Lavoie annonça la nouvelle à l'aveugle.

— Vous guérirez, annonça-t-elle. J'ai consulté les experts. Il suffira d'une légère intervention pour que vous recouvriez le regard.

Et comme le soleil se vautrait sur les tapis à longs poils du salon de la femme Lavoie dont la poitrine était inondée de gratitude envers elle-même, la femme s'approcha de l'aveugle pour lui faire une cour plus pressante. Son corps débordait du plaisir de la rédemption.

— Nous irons dès demain, chuchota-t-elle, j'ai l'adresse.

Le reste de la journée passa vite pour la veuve Lavoie, car elle savait qu'elle pourrait bientôt se voir et elle avait recommencé à faire sa toilette. Elle sortait d'anciennes manières et de nouvelles pour faire un tri.

L'aveugle continuait à songer en mâchouillant des bâtons de réglisse que la femme lui avait offerts. Puis il dit :

—Je vous verrai enfin, dit-il, traverser les murs. N'est-ce pas ? Je vous entends si bien le faire. C'est ce que j'ai, pour ma part, le plus hâte de voir.

La femme Lavoie ne dormit pas de cette nuit-là. Elle révisa et se ravisa. Elle ne mena pas l'aveugle au rendez-vous de l'expert. Lorsque quelques années plus tard l'aveugle reprit le chemin de sa quête, la femme Lavoie en eut pour longtemps à se souvenir de cette époque de sa vie où sans peine elle traversait les murs les plus épais.

La Survie

On dit LANDAU. *On ne dit pas* CARROSSE.

Jachar.

On ne dit pas COUVERTE. *On dit* COUVERTURE.

Jachar.

J'ai pensé vite. J'ai sauvé le vieux carrosse noir. J'ai jeté au fond les journaux qui traînaient et que je croisais, des vieux journaux et des journaux qui s'étaient collés en bordure des chemins. Quand j'ai vu venir, j'ai su que je n'aurais pas beaucoup de temps. Ça s'est déroulé à toute vitesse dans ma tête. Il fallait penser vite. Savoir à quoi je tenais. Sans avoir à décider, je ne tenais à rien. Le moment venu de décider, ça s'est fait tout seul, j'ai tenu, je suis sortie.

Le carrosse était là, je le poussais, je le traînais. Ou c'est lui, je ne sais pas, jamais su qui pousse, qui tire, qui traîne, je n'y arrive pas. Les choses sont souvent à ce point à la portée de la main qu'on ne sait plus si ce sont les mains qui sont à la portée de la chose. Il y a moins de choses ici maintenant. Maintenant, les choses se sont simplifiées. Il n'y a plus que le vieux petit carrosse noir, et dedans des journaux, et dedans la météo et des nouvelles fraîches vu que les nouvelles sont vraiment perpétuelles, je le savais avant sans confirmation.

Je ne me fatigue pas, j'ai classé ça par la météo. Je fais alterner le beau temps et le mauvais temps. Je crée un équilibre.

On en est là. Le bord a tout englouti. Depuis le temps qu'on vivait dessus en toute propriété. Le bord est bien plus loin maintenant. Il y en a qui ont reculé avec lui, ils ont recommencé. Moi, je suis partie.

C'est un solide. Ses roues ont l'air fines et délicates comme ça à première vue. Elles ont de l'endurance. Il me tire. On se tire à tour de rôle, c'est la meilleure solution, ce n'était plus possible vraiment de savoir qui traînait et qui poussait. Je ne savais plus si je devais remercier ou si c'était juste que ce soit tout le temps lui qui travaille et jamais moi, ou toujours moi et jamais lui. Je fais une croix pour qu'on ne s'emmêle pas. Je fais une croix dans la marge des journaux, on sait à qui le tour. Je fais une croix avec l'ongle de mon pouce gauche, c'est le mieux protégé de mes dix ongles. Je le garde plus aiguisé que les autres celui-là ; il me sert à savoir qui a travaillé la veille, qui va travailler demain et qui est en train de travailler. Dans mes heures de rêverie, je pourrai sans doute faire des pronostics, à savoir qui sera en train de travailler dans quatre-vingt-treize jours à partir de demain, ou dans le sens contraire, qui a travaillé il y a quatre-vingt-treize jours à compter d'hier. Il y a un destin installé de cette manière dans cette histoire.

On est tout seul. On s'est enfoncé loin du bord, on est parti.

Dans le journal du treize mars, la veuve de Stravinsky a brûlé des lettres d'amour pour raison de causes intimes. Prévoyait-elle le recul des bords ? Elle a dû être engloutie elle aussi, ou elle est partie à son âge et elle n'a pas eu à penser très vite si oui ou non elle emportait les lettres vu que les lettres avaient été annoncées brûlées. Moi, les lettres sont passées très vite dans ma tête parce qu'il a fallu faire très vite. Mais non, pas les lettres. Le carrosse seulement. Il est tout noir. Sa capote est déchirée. Les journaux sont dedans. C'est vraiment chacun son tour ici, on est d'accord sans convention parce qu'on est moins nombreux qu'avant, avant il fallait des clauses pour savoir si on allait se mettre d'accord chacun son tour et lever la main. Ici, je ne lève plus la main, la droite naturellement, jamais, plus besoin.

J'étais toute habillée parce que je dormais toute habillée depuis longtemps. Déjà à l'autre époque j'avais dormi nue. Il y avait à cette époque une autre peau. On les collait pour se couvrir, et à la longue, il a fallu faire une convention collective parce qu'on ne savait plus qui couvrait, qui réchauffait. Et l'achat des thermomètres pour mieux répartir chacune des clauses selon la température des peaux sans injustice, certaines peaux étant de sang froid, et ainsi dormir en toute quiétude. On dormait souvent avec insomnie malgré la clarté des clauses ; j'ai donc commencé par mettre un tricot, puis j'ai fini par garder mes petites culottes ; après, j'ai gardé ma grande chemise à carreaux en laine dans les bleus, des tons de bleu. Après, j'ai gardé ma jupe de flanelle rouge, et les peaux, c'était chacun la sienne, l'autre peau pouvait continuer à dormir nue. Nous ne tenions plus compte à cette époque des clauses de la convention des nuits.

Ainsi, j'étais toute habillée déjà et je suis sortie vite sans avoir le temps de consulter s'il fallait prévenir la peau qui dormait sans insomnie. Je crois qu'elle a été engloutie, je n'ai pas de nouvelles. Les nouvelles n'existent plus là où je suis et où on va tous les deux, moi et le carrosse, et on n'a que les nouvelles d'avant à ressasser et ça s'avère éternel. Les nouvelles d'avant, on se nourrit de ça une fois de temps en temps et on ne s'ennuie pas des nouvelles d'après puisque c'est éternel.

Ça nous a tout de même manqué au début : le tabac. Au début et encore aujourd'hui, mais une chance, on sentait ça. Lui toute sa capote déchirée et moi ma chemise, jamais je ne la laverais. On fume par l'odeur avec le nez collé sur les parties qui sentent le plus et ainsi on économise. Voilà pour ce qui manque, ça arrive le soir à la tombée à l'angélus avec le goût des vins rouges ; c'est fou qu'on ait ça dans les bandes magnétiques et qu'il y ait le *self control* des bandes qui déroulent dans les moments les plus inattendus. On ne peut pas s'attendre à tout en même temps. Comme sans raison, ça se dévide tout de même. On s'enfouit le nez dans la chemise, on s'endort souvent comme ça, le nez, et ça finit par être somnifère, des chemises comme ça. On se garde bien de la laver, ce serait un désastre total, même si c'était un désastre des bords qui reculaient, assez total.

Je me suis débarrassée du caillou brun. Dans le temps, je le gardais au fond de la grande poche de ma jupe de flanelle. Il me réveillait la nuit au besoin après m'avoir fait rêver. Selon mes pronostics, je n'en aurais besoin que pour stimuler certains souvenirs. Et la seule chose qui lui restait à lui était de me réveiller la nuit à cause d'une position inconfortable. J'aurais pu l'envoyer promener au fond du carrosse, mais pas d'emploi. Il faut que tout, chaque chose ait un emploi vu qu'on est d'accord, chacun son tour à tour de rôle. Apparence de répétition, mais non parce qu'on s'enfonce. On s'enfonce loin du bord. On est parti.

La possibilité de tourner en rond est grande. Il faudrait marquer l'écorce. Ça occasionnerait des problèmes de traces. Veut-on ou non laisser des traces. Avant, c'était la question, quelles traces. Il y avait des postes au ministère des Traces laissées par les marques et quelles marques. Les peaux discutaient des marques et quand il y avait lieu, les déclaraient « traces ». On mettait des panneaux à certaines marques déclarées traces, et on laissait tomber les autres pour éviter les chinoiseries administratives. On ne pouvait pas tous être chinois malgré tout. C'était des siècles dans des salles et les salles ne m'assignaient pas. Une fois seulement, on m'a assignée au sujet de ce dont j'ai parlé, les peaux et qui réchauffait qui. Il a fallu aller dans une salle, déjà je dormais et depuis longtemps dans ma jupe, mais tout de même, il a fallu qu'on m'assigne. Non, nous avons choisi de tourner en rond possible plutôt que de laisser des marques qui éventuellement pourraient servir de traces à un nouveau. On n'a que les nouvelles perpétuelles et les racines sont comestibles. On a bien pensé faire cuire nos racines, mais on s'en souvient, les feux laissent des traces, des marques, des cercles, des cernes, des cicatrices sur l'écorce, et non, pas de feux, seulement des crudités, comestibles, c'est important si on veut manger.

Il faut bien se le dire : nous avons dépensé beaucoup de nos journaux depuis notre sauve-qui-peut. On a commencé par dépenser les hauts des pages, tous les hauts. On n'a plus du tout les dates des nouvelles, c'est ce qui les rend si immortelles, dates et nouvelles. Tant de dépense, c'était par besoin, à cause de l'utile. En effet. J'ai continué à fonctionner digestivement comme avant, un peu moins, vu la rareté des bombances sur les bords d'antan, mais tout de même je voulais continer à m'essuyer comme si de rien n'était, les petites gouttes, et le petit trou, qu'il reste rose, ça j'y tenais à cause de l'honneur qui continue, vieille habitude, et aussi, j'ai continué à être réglée, mais ma jupe était rouge, même si j'ai taché à cause de la notion d'économie, ça n'y paraît à peu près pas. Difficulté de s'affranchir de toutes les continuités, anciennes ou récentes.

Obligation de sacrifier des parties de nouvelles, on n'a plus de dates comme j'ai dit, ni les noms ni les provenances. De toute façon, on n'est pas fort sur les noms ni sur les dates, ni sur les provenances ; je me souviens du treize mars à cause de la veuve Stravinsky, ça m'avait frappée tout simplement à cause du mot amour, brûler des lettres d'amour, pour les veuves, je crois que c'est une nouvelle très actuelle et qu'il n'y a pas de raison pour que ça ne m'ait pas frappée.

Pas de singes en vue. Longue existence cependant en nous, carrosse noir et moi jupe rouge et chemise bleue à grandes poches vides battantes sur les seins, des singes vus autrefois et aimés sur les bords ; impossible de se défaire des images, autrefois, impossible d'effacer les images des grands singes à hémorroïdes fleuries, et cela même après tous ces jours, toutes ces nuits, à examiner les racines et à les déchiffrer.

J'ai à qui parler. Je me souviens que c'était un problème au bord ; les peaux cherchaient à qui parler, c'était un mal de siècle, rien d'éternel, tout historique.

Moi-même souvent je cherchais des adresses, celles que j'avais notées ne suffisaient jamais, surtout les soirs de canicule, c'était tout un problème. L'autre peau disait si au moins tu retirais ta sempiternelle jupe en dépit de tes résolutions. Il devait y avoir un rapport. Je n'aimais pas, même ayant maintenu l'idée du rapport, aller à l'encontre de mes résolutions. C'était une de mes manières de me distinguer à mon profit et sans égoïsme ni rien. C'est peut-être cette distinction qui m'a emportée avec l'allure d'un vieux carrosse noir.

Je me fais du souci depuis ce matin. J'ai l'intuition que nous sommes suivis. Je ne sais pas encore ce que j'ai remarqué qui a suscité mon intuition. L'intuition chez moi provient toujours d'une chose que je remarque sans que je me rende compte que je l'ai remarquée. Il y a longtemps que je ne me suis pas fait de souci, à cause des racines qui prennent tout le temps, et je ne sais plus comment plisser le front de manière à rendre le souci efficace. Je me souviens, il fallait rendre toute chose efficace, c'était primordial avant l'écroulement des bords et leur recul ou leur avancée, on ne sait jamais, sur nous.

On dit landau, on ne dit pas carrosse. Jamais entendu à nouveau cette remarque depuis mon départ. Intention : ne nommer aucune racine. Seulement savoir si je les mange ou non, c'est tout. Aucun baptême ne s'impose. Pas lieu de passer la remarque au sujet de carrosse ou landau. Bon débarras.

C'est un solide. Il a une bonne suspension. On se repose dans des tranchées naturelles. Avant on ne savait plus, il n'y avait aucun accord de survenu au sujet de ce qui était naturel et de ce qui ne l'était pas. Depuis la catastrophe, un accord est survenu ici, facilement. J'ai une facilité naturelle à m'accorder avec moi-même et à simplifier ainsi les discussions. C'était une des raisons pour lesquelles j'avais été convoquée dans la salle. Ça m'a pris du temps. Les jours et les nuits se succédaient, comme maintenant, mais à la longue, là-bas, il y en avait des tas, alors que maintenant, ça ne fait plus tas même dans la succession. Et je ne prenais aucune décision individuelle concernant le naturel. Je cherchais. Je pensais à ça. Le plus difficile, c'était le vinyle. Le vinyle me causait des problèmes à cause de l'absence de pores. J'avais déjà couché avec une peau sans pore. Il faut un microscope et ce n'est pas forcément agréable d'avoir un microscope tout le temps pour voir les pores dans la nuit et couchée. Ça continuait à me troubler même après, bien après, cette absence de pores sur les photos qui restaient de cette peau-là.

Des tas de mégots aussi, et des pots de toutes sortes dans des fonds d'armoires, des pots de grès, des pots de verre, des pots de porcelaine, des pots de terre cuite, des pots sans anse, à anses et tout, ça reste dans la tête, même après, mais ça ne pose plus la question du naturel que ça posait alors, c'est-à-dire à chaque fois que j'ouvrais la trappe. D'en être arrivé là, c'était la question. Devant tout amas, c'était la question d'en être arrivé là. Les tas, comment les tas en étaient-ils arrivés là ? Toutes les variations de tas sans que le vent n'y soit pour rien, bien qu'on ne sache pas vraiment si le vent n'y est pour rien, c'est comme pour les grands singes dont je me souviens même si nous sommes loin maintenant, très loin, et j'ai peur qu'on soit tout près vu la possibilité de tourner en rond alors qu'auparavant, il y avait aussi des peaux engagées à ne pas tourner en rond, tout au moins dans l'imaginaire de la population riveraine.

C'est réglé maintenant. Tout est naturel avec ou sans, la question n'est pas dans les pores tout simplement. Seule la question n'est pas naturelle. C'est qu'on s'ennuyait souvent au bord et on savait inventer des choses sans vent, sans graine, sans sperme, sans cœur ni rien, ni queue ni tête, on appelait souvent ça du plaisir, ou ailleurs de la métaphysique, selon les vocabulaires différents d'un tas à l'autre. Les vocabulaires différents proviennent des tas, c'est tout. Maintenant, tout est plus clair et le carrosse et moi, on se tire pas mal d'affaire avec les racines comestibles.

La sensation d'être suivis provient peut-être d'un songe. J'ai cru apercevoir un oiseau. Étions-nous endormis encore dans une tranchée, lui, carrosse, couché sur le côté, la brise faisant rouler ses deux roues comme s'il y avait quelque chose à moudre ? Ai-je dormi ? Difficile d'admettre un oiseau, tout est rasé, seulement des racines. Pas une colombe, tout serait à recommencer, je refuse que ce soit une colombe. Suivrait forcément quelqu'un agitant un drapeau blanc, et donc, il est possible, si j'ai vu un oiseau, que nous soyons suivis par une peau agitée par un drapeau blanc, ou s'il est seul, sans drapeau, il sera agité par sa main, sa main blanche en remplacement de drapeau. Moi, non, plus jamais de patte blanche ni colombe ni rameau d'olivier, c'était tout un vocabulaire de merdier, ça, et nous sommes partis.

Il reste du ciel. Un pan. Un restant de couverte. Un

restant bleu. Autour, c'est le vide, le rien. Ça m'a séduite quand j'ai vu qu'on allait vivre comme ça, avec juste un morceau et le reste tout noir. Je suis restée figée, comme ça, comme une extase, à cause de la couverte que ça nous faisait et qui voyageait avec nous au-dessus de nous. Ça m'a pris du temps. Je suis restée là longtemps à ne pas y croire et je disais au carrosse « je fais la grève sur le tas », même si nous étions loin des tas à cause de la catastrophe et tout, nous avions tout laissé là-bas englouti dans la chute des bords.

Éblouie. Pas de rappel à l'ordre et à l'efficacité. Pas besoin de tenir compte du rendement et des balances de participation. Non, tas de merde. Éblouie, la couverte et le rien, les racines et l'écorce. Le carrosse. La jupe rouge qui continue à tenir le coup, et la chemise et les poches vides ballantes sur les deux seins. Les journaux pour les nouvelles. Un peu plus et on avait un tas. Mais comme ça, absence de cette sensation d'appartenir à un tas, et ça m'éblouit. Je reste là souvent à y penser, à le sentir, je me souviens de l'odeur de lavande ; ici, c'est encore mieux, c'est au-dessus de tout.

Rêvé à l'étiquette du *Chablis-Moreau*. Ça continue à coller au ras de la nuque. Plaisir que le ciel ait perdu ses horizons. Avant, les horizons, toujours en parler, ça créait des buts, des idéaux à cause des symboles impliqués dans le contact avec la nature. Plus d'horizon. Juste une couverte assez grande pour le regard, sans déborder ; avant, le ciel débordait toujours, on ne pouvait pas l'embrasser d'un seul regard. Ça causait des impressions de solitude et ça avait créé presque toute la philosophie à savoir comment embrasser le ciel d'un seul et même regard ; c'était un problème qui remplissait les bibliothèques au bord. Les bords engloutis, on est sans nouvelle, la jupe tient toujours, on est pieds nus, on a croûté, ça va.

Rien de nouveau du côté des nouvelles, facilité de les oublier à mesure. En général, les nouvelles manquent de fixatif, c'est ce qui les rend si éternelles. Il n'y a que la veuve de Stravinsky qui me fait réfléchir souvent ; sa nouvelle était vraiment temporelle en ce sens qu'elle tend continuellement à se fixer dans ma pelure et à développer ses pensées. Avons dû sacrifier plusieurs pages, entièrement. Elles avaient pourri au fond du carrosse dans leur pourriture. Je ne croyais pas que les vieux journaux pourrissaient ainsi d'eux-mêmes ; je l'ai appris. Avons huilé nos roues avec ma cire d'oreille, c'est tout ce qu'on a trouvé. On verra si ça tiendra le coup et si le problème du grincement léger sera éliminé.

Découvert une nouvelle racine. Rose. Méfiance. Je fais des essais. Elle est rose au-dedans comme au-dehors, laiteuse, flexible comme une réglisse. Il n'y a pas de rats ici pour faire les tests. Elle est odorante. Rappelle l'odeur d'une des peaux autrefois sur les bords. Ni sel ni poivre. Maritime sans le sel. Souvent c'était vice sans versa. Quand vice et versa survenaient ensemble, je faisais la tentative des nuits nues. Suite à ça, je me suis abstenue et je garde la jupe encore. Le soupçon que j'entretiens au sujet de la racine rose empoisonne je crois la marche et le bleu lumineux de la couverte au-dessus.

Aujourd'hui, la pensée de l'ivresse autrefois sur les bords m'a entretenue. C'est peut-être l'odeur de la racine qui provoque la pensée de l'ivresse déjà. Mis la racine dans le carrosse pour voir si la pensée me lâcherait, la pensée de l'ivresse, c'est difficile, je préfère pas. Surtout celle de l'ivresse, une seule fois, dans une métropole des bords, canicule, nuit, et deux peaux, une à droite, l'autre à gauche, au-dessus des trottoirs ; vraiment envie de celle de droite, l'ivresse et le poil et la nuit chaude, rester debout, c'était ça, ne pas se coucher surtout, car se coucher, c'était renoncer à l'équilibre de l'ivresse, une rose dans la bouche et une pousse arrachée à la verdure d'un grand hôtel. Ça ne me lâche pas parce qu'on a gardé l'équilibre debout ; je ne sais pas ce qu'on a sauvé, mais l'équilibre souvent pour lui-même, c'était un plaisir rare, autrefois, dans l'ivresse sur les bords. Suite à ça, des aurores que la plupart ne voyaient jamais si ce n'est d'une fenêtre de wagon de métro, sous l'écorce, par reflets.

Autre avantage : je fais affaire directement. Pas d'exil ni de salle d'attente. Les restes n'existent pas, rien à recycler ou à apprêter dans un formol. Il n'y a pas à se faire comprendre. Il n'y a que le carrosse me traînant, et moi le traînant à mon rôle. Je suis chargée des racines, je trouve ça équitable car il est impossible de faire autrement.

Pour la musique, j'ai des mots. Apaisant. Aujourd'hui, j'ai fait jouer ribambelle. Ça passe. Je change de musique au gré, mais parfois avant de m'endormir, j'en joue une que je préfère ; j'en préfère deux ou trois, je peux en parler, j'aime bien ribambelle ; ensuite, c'est tatouage qui est pleine des sensations les meilleures. Tatouage, avant ou quand je souffre un peu à cause des croûtes, c'est la meilleure.

Je suis suivie. Je l'ai dit à carrosse et j'ai dit à carrosse que je devais le porter parce que ses roues laissent des marques sur l'écorce en dépit du fait que nous avions décidé de ne pas laisser de marques vu les traces. Je suis forcée de changer de décision, et ça ne me pèse pas de le faire, vu qu'il n'y a aucune peau autour de moi pour me reprocher de changer de décision comme autrefois sur les bords où il était mal vu, mal vu, oui, de changer de décision, quoi qu'on dise et en dépit des analyses. Donc, le carrosse sur mon dos pour éviter les marques.

Croûte douloureuse aux genoux également les genoux puisque je suis souvent à fouiller les racines. Ça va. Grande inutilité du dos, cette étendue qui devrait parfois venir prendre la place de la peau des pieds ou des genoux, mais inamovible et seule derrière. C'est lui, le dos, qui me suit. Découvert ça hier soir alors que je couchais dessus et que l'intuition s'est arrêtée. J'aurais dû y penser : ne jamais dormir sur le dos vous fait l'oublier et il devient à part entière.

Jours, nuits, racines. Pas encore pris de décision au sujet de la racine rose qui est dans le carrosse et que je vois à chaque fois que je prends un vieux journal pour me mettre au courant des nouvelles. Heureuse cependant d'être seule à faire l'expérience d'une chose nouvelle dont on ne parle pas autour de moi forcément puisque seule. Ça me fait rire. Un rire absolument à moi qui voltige dans ma bouche comme les minuscules mouches noires des bananes noires autrefois. Suis-je obsédée par la racine rose. Ma méfiance n'est pas tranquille. Ressassé la vieille histoire de l'érection des peaux. Les peaux n'aimaient pas être surprises en état de redressement, il fallait des conditions pour que les peaux se trouvent bien moralement en position et juste à temps, autrement, c'était mal vécu. Souvent le branlement des autobus provoquait, et les peaux suintaient doucement. J'aimais ça. Jamais compris pourquoi pas. Pourquoi pas la langue sortie vers la bouche vers la langue et partout d'une autre peau puisque nous ne risquions pas de tourner en rond sur les bords vu les contrôleurs payés. Mais c'était la question d'honneur qui jouait et elle gagnait la partie contre tout sublime.

La racine rose me rend de plus en plus mal à l'aise. Option : m'en débarrasser, qu'on n'en parle plus. Si on en rencontrait une autre de son genre, on ferait semblant de ne pas la voir et on s'en tirerait. Ce n'est pas une épine comme forme, mais tout de même et peu à peu, elle prend dans ma tête la forme d'une épine, tiens.

Je marchais avec carrosse sur le dos même si nous ne sommes pas suivis, le carrosse a pris l'habitude et ça lui plaît et ça permet à mon dos de servir et de ne plus vivre derrière moi à part entière, donc, je marchais avec carrosse, et une de ses roues nous a quittés. Inutile de se raconter des histoires et d'inventer des cataplasmes et des histoires de faire des nœuds avec des roues, non, pas ici, nous sommes sans nouvelle. Sauf les nouvelles ici qui sont vraiment éternelles, elles collent de moins en moins, difficile de les faire parvenir même à la rétine. Brouillard.

Bon débarras de la racine rose aujourd'hui. Adieu et tout. Lancé derrière le dos. Chargé le dos de la surveiller aussi longtemps qu'il la sentira gisante au loin. Finie l'histoire du péril rose.

Avec ses trois roues, carrosse est à peu près toujours sur mon dos. Je ne sais pas si je reconnaîtrais son âge maintenant. Le mien est hors d'usage ici alors qu'autrefois il y avait un pouvoir d'achat qui lui était attaché. La couverte est toujours lumineuse. Bleue. Pan de ciel trop grand avant, maintenant je voudrais que la forme se déforme, mais fixe, extasiée.

Mes cheveux tombent. J'ai dû retourner en arrière pour vérifier si des touffes de cheveux avaient laissé des marques. Non. C'est récent d'aujourd'hui. La couverte s'est éclairée et il y avait des cheveux sur l'écorce. J'ai comparé des cheveux tombés à ceux qui sont restés là-haut. Même couleur. Ce sont les miens. Mon menu de racines n'est peut-être pas équilibré.

Tourner le dos à la lumière, réussir à changer de pièce sans faire toute la valise, par exemple, pouvoir se rapprocher de la musique sans une remorque pour le tabac, le vin et les cendriers, c'est l'avantage ici. J'en viens à penser que ma jupe est un os mou qui m'est poussé à partir de la taille.

J'ai joué tatouage hier soir, pleine lune dans la couverte au-dessus. Les larmes m'en sont montées aux yeux. Assez d'eau pour arroser le citronnier sans doute lui aussi englouti dans le recul des bords. J'avais relevé ma jupe. J'ai dormi la tête sur mes jambes. Ce matin mes paupières étaient un peu collées l'une à l'autre. Impression courte que je ne pourrais pas embrasser toute la couverte d'un seul regard. Souvenir des folles autrefois sur les bords. Finalement, on en avait fait des tas parqués. On évitait ainsi la confusion qui risquait de nous rapprocher du chaos et de réveiller dans la population la hantise des grands singes si loin mais peut-être tout près.

La question de croître et de me multiplier résolue, ici, bon débarras. Pas besoin ici de la contemplation des barrages pour se sentir collectif. Le fils d'Abraham peut bien continuer à dévorer ses lentilles d'approche.

Aujourd'hui, langue fade. Tâté mes seins sous la chemise tons bleus battante, aucune mauvaise bosse et toujours le même bonheur à demeure aux deux bouts. Cassé l'ongle du pouce gauche.

Abandonné les croix en marge des journaux. Abandonné toute velléité de futur ou de passé retraçable. Carrosse définitivement ancré dans le dos. Genoux croûtés à cause de la position appelée à quatre pattes le plus souvent.

...

Il y a une survie. Je m'en doutais. D'autres sont sans doute à la pêche dont nous sommes absents.

Chronologie

1943	Naissance à Amos, Québec.
1964	Termine un baccalauréat ès art au collège Notre-Dame-de-l'Assomption de Nicolet.
1965	Participe aux spectacles du théâtre de la Boulangerie, à Montréal.
1966-1969	Voyage en Europe et aux États-Unis. Écrit des chansons et des nouvelles.
1970	Donne un premier spectacle de chansons, au Patriote, et remporte le Trophée de la meilleure auteure-compositeure-interprète de l'année. Représente le Canada au Festival de Spa (Belgique).
1970-1978	Tournées de spectacles à travers le Québec (boîtes à chansons, centres culturels...).
1978	Sortie d'un premier long jeu ; parution de *Flore Cocon.* Fonde les éditions « le biocreux » avec Paul Paré.
1978-1980	Poursuit parallèlement ses activités de chanteuse, d'écrivaine et d'éditrice.
1980	Écrit deux dramatiques pour la télévision de Radio Québec : *le Mur* et *Exercice pour une comparution.*
1981	Un incendie met fin aux activités des

	éditions « le biocreux ». Départ pour la France. Sortie d'un deuxième long jeu, *Une humaine ambulante*.
1981-1986	Séjour en France. Tournées de spectacles. Pendant toute cette période, rédige des chroniques pour la *Gazette des femmes*, publiée par le Conseil du Statut de la femme.
1983	Publie un premier roman aux éditions du Seuil, *Laura Laur*, prix du Gouverneur général et prix Québec-Paris.
1985-1986	Plusieurs allers et retours Montréal-Paris en vue de la préparation de spectacles multidisciplinaires dont *Autre*, présenté à l'Espace Go, à Montréal, en janvier 1986. Tournée de conférences aux États-Unis (dans l'Ouest et en Louisiane).
1987-1988	Scénarisation de la nouvelle « La passion de Marthe C. », parue dans *Crever l'écran*, un collectif paru aux éditions Quinze.
1989	Sortie de *Laura Laur*, un film de Brigitte Sauriol, long métrage adapté du roman homonyme de Suzanne Jacob. Parution de la traduction anglaise de *la Survie*, par Susanna Finnell, chez Press Gang Publishers, à Vancouver.

(Chronologie établie par Jean Yves Collette)

De la même auteure

Flore Cocon, roman. Montréal, Parti Pris, 1978.

La Survie, nouvelles. Montréal, le biocreux, 1979.

Poèmes I : Gémellaires, le Chemin de Damas. Montréal, le biocreux, 1980.

Laura Laur, roman. Paris, Seuil, 1983.

La Passion selon Galatée, roman. Paris, Seuil, 1986.

Les Aventures de Pomme Douly, nouvelles. Montréal, Boréal, 1988.

Maude, récit. Montréal, NBJ, 1988.

Table

Dans la même collection

AUBERT DE GASPÉ, Philippe
Les Anciens Canadiens

AUDET, Noël
Quand la voile faseille

BEAUGRAND, Honoré
La Chasse-Galerie

BERNIER, Jovette
La Chair décevante

BOIVIN, Aurélien
Le Conte fantastique québécois au XIXe siècle

BROSSARD, Jacques
Le Métamorfaux

BROSSARD, Nicole
À tout regard

CARPENTIER, André
Rue Saint-Denis

CHOQUETTE, Robert
Le Sorcier d'Anticosti

CLAPIN, Sylva
Alma Rose

CLOUTIER, Eugène
Les Inutiles

CONAN, Laure
Angéline de Montbrun

CONDEMINE, Odette
Octave Crémazie, poète et témoin de son siècle

COTNAM, Jacques
Poètes du Québec

CUSSON, Maurice
Délinquants, pourquoi ?

DE ROQUEBRUNE, Robert
Testament de mon enfance
Quartier Saint-Louis

DESROCHERS, Alfred
À l'ombre de l'Orford

DESROSIERS, Léo-Paul
Les Engagés du Grand-Portage
Nord-Sud

ÉMOND, Maurice
Anthologie de la nouvelle
et du conte fantastique québécois au XXe siècle

FERRON, Madeleine
Cœur de sucre
La Fin des loups-garous

FRÉCHETTE, Louis
La Noël au Canada

GIRARD, Rodolphe
Marie Calumet

GIROUX, André
Au-delà des visages

GODIN, Jean-Cléo et MAILHOT, Laurent
Théâtre québécois I
Théâtre québécois II

GRANDBOIS, Alain
Les Îles de la nuit
Les Voyages de Marco Polo

GRANDBOIS, Madeleine
Maria de l'hospice

GROULX, Lionel
L'appel de la race

GUÈVREMONT, Germaine
Marie-Didace
Le Survenant

HÉBERT, Anne
Le Torrent

HÉMON, Louis
Maria Chapdelaine

JACOB, Suzanne
La Survie

LACOMBE, Patrice
La Terre paternelle

LECLERC, Félix
Adagio
Allegro
Andante
Cent chansons
Chansons pour tes yeux
Dialogues d'hommes et de bêtes

Le Calepin d'un flâneur
Le Fou de l'île
Le Hamac dans les voiles
Moi, mes souliers
Pieds nus dans l'aube

LEMAY, Pamphile
Contes vrais

LORANGER, Jean-Aubert
Joë Folcu

LORD, Michel
Anthologie de la science-fiction québécoise contemporaine

NELLIGAN, Émile
Poésies complètes

POULIN, Jacques
Faites de beaux rêves

ROYER, Jean
Introduction à la poésie québécoise

SAINT-MARTIN, Fernande
Structures de l'espace pictural

SAVARD, Félix-Antoine
Menaud maître-draveur

TACHÉ, Jean-Charles
Forestiers et Voyageurs

TARDIVEL, Jules-Paul
Pour la patrie

THÉRIAULT, Yves
L'Appelante
Ashini
Kesten

Typographie et mise en pages sur micro-ordinateur :
MacGRAPH, Montréal.

Achevé d'imprimer en août 1989 sur les presses des
Ateliers Graphiques Marc Veilleux, à Cap Saint-Ignace

Imprimé au Québec (Canada)